JN040380

世界の子どもと教育の実態を
日本人は何も知らない

集英社

みにろま君とサバイバル

世界の子どもと教育の実態を
日本人は何も知らない

目次

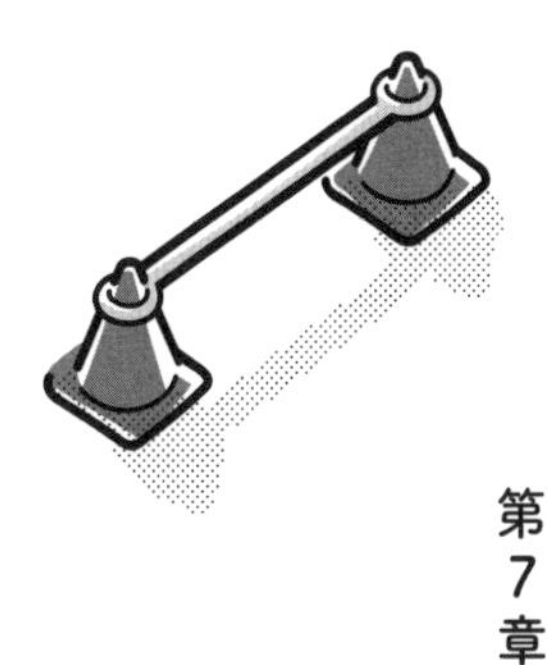

イラストレーション（カバー・本文）｜日向山葵
ブックデザイン｜アルビレオ

はじめに

２０１１年の３月、私は休暇をとって日本の神奈川県の実家に帰省していました。時差ボケがあったのでまだ顔も洗っておらず、ボサボサの頭でパジャマに半纏（はんてん）を羽織ってこたつに入ってネットで遊んでいたところ、突然激しい揺れがやってきました。

欧州では手に入らない生の納豆（海外では冷凍が大半）とキムチをミックスしたものをホカホカのご飯にかけて食べたばかりでした。これは海外在住者にとっては大変なごちそうです。

ところがその大きな揺れはどうも大地震だったらしく、顔も洗っていないし髪もボサボサ、パンツも取り替えていない、しかも納豆とキムチのミックスを食べたばっかりという状態だったのに歯も磨いていません。

もしかしてこんな状況で避難所に行かなきゃいけないのかと私は一瞬パニックになりました。そんなことよりも地震の方がやばいだろうと思うのが当たり前なのですが、想定しなかった事態に遭遇すると合理的な思考とロジックというのは完全にぶっ飛んでしまうようです。

慌てて外に飛び出すと近所のご老人達が大きな地震だと騒いでおりました。しかし彼らがもっと驚いたのは海外にいるはずの私がなぜか突然登場したことで、「なんでここにいるの?」と、びっくりしているのです。地震よりも私がいたことの方がショッキングだったのではないでしょうか。しかも毛玉だらけのスウェットにボサボサの頭ですから、その驚きは想像をたくましくするまでもありません。

母は地震の時、車を運転中だったので、外で人々がフラフラしているのは認知症の老人が倒れそうになっているのかなと思い込んでおり、全くもって大災害という感覚がなかったそうです。その後揺れはおさまり、帰ってきた母とテレビを見ながらせんべいを食べていたのですが、画面には、津波で流されていく街や、燃えまくるコンビナートが映し出されています。

翌日生協に行くと菓子パンと刺身が売り切れており、缶詰はみんな売れ残っていました。目先の食べ物に走る……皆パニックなんだな、これは現実なんだなということを実感しました。

そして数日経つとテレビの画面には原発が爆発する姿が映し出されていたのです。

私はそれを見て、もう終わりなんだということを勝手に実感していました。

なにせパニックムービーが大好きで、子供の頃には「少年マガジン」に連載されていたチェルノブイリ事故に関する非常に恐ろしい漫画を読んでいた人間です。

頭の中には原子力発電所の事故に起因するありとあらゆる危険や病気のことが蔓延しました。

このように、震災に遭遇したことは私にとって人生の大きな転機となりました。

つまり死というものは常に隣にあって、想定しない事態で自分という存在が世の中から消えてしまうんだなということです。当時の私は30代でありましたが、頭の中は大学生の頃とあまり変わらず、海外生活もバックパッカーの生活の延長でありましたから、今のような生活が永遠に続くんじゃないかと思い込んでいました。

しかし震災で消えていく街や爆発する原発を見て、自分という存在がいつかなくなることを思うと、何をするべきかということを考えるようになりました。

自分がいなくなるということは、つまり自分の周りにいた人から見たり聞いたりしたことを、他の人々に伝えることができなくなるということです。

例えば漫☆画太郎の作品の面白さとか、パトレイバーの元ネタについて伝承していくことができなくなるということです。

これは自分的には結構大変な事態なのではないかと考えました。だってこんなに面白いものを他の人やもっと若い人が知ることがなくなってしまうわけですよ。

そしてその数年後、そこに何か計画していたとかそういうわけではないんですが、子供ができました。そんなことは全然想定していなかったのではありますが、あの震災の時に体験した「自分という存在がなくなるということはどういうことか」ということが、潜在的に頭の中にあったのかもしれません。

そしてたまたま偶然、家人（夫）がイギリス人だったことで、我が家には「みにろま君」（ニックネーム）という日英ダブルの男子がやって来ることになりました。

私も家人も、長年、学生の延長状態の生活をしてきたので、「この杜撰でだらしない人達が子供を産んで育てるのか！　まじかよ!!」と周囲の人々はパニックに陥りました。

今、そんな調子で偶然子供を持つことになってしまったわけですが、それまで仕事と家の往復だけで、ネット、ＨＲ（ハードロック）／ＨＭ（ヘビーメタル）、漫画などの趣味に爆進していた我々が、子供によって社会の新たな側面を体験することになりました。

またそれが日本だけではなく、イギリスや欧州（※イギリスでは大陸欧州とイギリスをこのように分けて表現します）といった海外であったので、これまで日本で聞いてきた「海外」の実態が、子供を通して社会を体験することで、ことごとくひっくり返されてしまいました。

この本は、私と家人が感じたり体験したりしてきた、そのような驚きや、子供を中心とする海外の社会のあれこれについてご紹介するものです。

お子さんがいる方だけではなく、外国の事情に興味がある方に楽しんでいただければ幸いです。

第1章

子供を持つことで社会の見方が変わった

ナメンナゴルア!!
ガルルル…
殺伐
カタ
カタ
カタ
ビリ
ビリ
工数分カネ返せ!!!
非情
そんなコトもわかんねーの?
バカ
そうですワタシがおバカさんです
氷河期
ハッ
ほのぼの〜
重いでしょ?ベビーカー運びますよ
ニコッ
ボクにスペシャルメニューあげるね
今一歳?大変だけどカワイイ時期よね
まぁ〜
きゃ〜♡
カンドーてかショーゲキ!!

子供を持つことで社会の見方が変わった

私は30代の後半になるまで海外と日本を行き来しながら、バックパッカーの延長のような生活をしてきました。

1990年代に高校や大学生活を過ごした就職氷河期世代の方であればおわかりになるかもしれませんが、当時は猿岩石ブームもあり、バックパックを背負って発展途上国やちょっとアレな国に行くのが非常に流行っておりました。

私は高校時代に、メタル雑誌で発見したペンパルの家に1人で2週間居候したのをきっかけに、タイ、ネパール、ロシア、中国、カザフスタン、メキシコ、チュニジアなど、さまざまな国に訪問したり滞在したりしてきました。

その合間に、旅行の延長でアメリカの大学院に留学したり、ワシントンD.C.でインターンとして、ロビイストという非常に胡散臭い業界で働いたり、インターネットのスタートアップで働いたり、イタリアにある国際機関で働いたりしてきました。

そして、ご縁があって出会った、イギリスの大学の研究者であり、HR／HMやSF映画という共通の趣味を持つ家人と結婚しました。

結婚した理由というのは、我々の趣味を深く追求できること、お互いのコレクションを共有できるからです。

さらに、気に入っているバンドのコンサートに行く際に、いちいちお互いの国を行き来しなくて済むので非常に便利です。そんなかなり適当な理由でいいのかと言われそうですが、まあ、世の中の夫婦というのはそういう感じなんじゃないでしょうか。

さて、その後しばらく私は、日本とイギリスを往復しながら暮らしてきたわけですが、なにせ趣味を中心とした生活を家人と送ってきたわけで、そこには子供が入り込む隙間が全くありませんでした。

また、子供というものにも最初からほとんど興味がなく、実は電車や映画館などで小さい子供がいると、騒ぎそうだから嫌だなーと思っていたような非常に嫌な人間でありました。

自分は氷河期世代なので、友達や親戚なども独身の人や結婚していても子供がいない人だらけで、誰も子供がおらず、30代や40代になっても小中学生の時の延長のような生活をしている人だらけだったのです。

ところが思いがけず子供を授かってしまい、出産するということになってしまいました。

そして私は驚くべきことに、子供を産んだことで、さまざまな事態に遭遇することになったのです。

まず、子供がいない時というのは、家と仕事の往復で、付き合う人々は大人で子供がいない人々ばかりです。

子供がいない大人というのは、基本的にビジネスの場と趣味の場ぐらいしか行き来しませんし、年齢があまりいってないと、病院や福祉の世話になることがほとんどありません。

ところが子供を持ちますと、まず病院に行かなければなりませんし、市役所であれこれと手続きをしたりしなければいけないですから、公的なサービスの世話になることが増えます。

そうしますと、普段、会社と趣味の場や家との往復では絶対に接触することがない、全く別業界の人々や年齢が異なる人々、数多くの高齢者や小さい子供、そういった不特定多数の人と接触することになります。

彼らは仕事で見かける人々とは使う言葉も異なるし、服装も違う、コミュニケーションの方法も全然違うし、考え方も違うのです。世の中にはこんなに多種多様な人がいるのかということで大変驚きました。

それまで自分は、ＩＴ業界の人々や大学の研究者、国際機関の人々、クライアントである一部上場企業の幹部の人々、重役といった人々しか知らなかったわけで、要するに非常に狭い世界の大人が世界の標準だと思い込んでいたのです。

ところが例えば病院に行きますと、緊急の窓口で頭から血を流して救急隊員に押さえつけられている人がいたりします。英語が全く通じない国からの移民が、看護師に対して怒鳴っています。市役所では窓口の人に無理難題を投げかける、非常に恐ろしい感じの人がいたりします。

世の中は実は良い人が多い

その一方で、街を歩いていると妊娠している自分を気にかけてくれる高齢者がいたり、子供が生まれてからは、子供をきっかけに立ち話をしてくれる人がいたり、ベビーカーを抱えた自分に配慮してくれるバスの運転手さんや中年のサラリーマンの方がいたり、お店の人も子供用の食べ物を持ってきてくれたり、椅子を一生懸命替えたりしてくれるのです。

それまでは、ビジネス界の切った張ったの世界で、周囲は、そのほとんどが敵というような環境にいました。

ＩＴ業界だと、最新技術やフレームワーク、競合の動向などを知らない人間には「バカ」と面と向かって言うような、非常に厳しいところです。自分で勉強していない人間というのは、平らでダメな奴とレッテルを貼られてしまいます。

これは日本だけではなく、他の国でも大体同じです。そこにはあまり知識がない人への気遣いとか、世間話をするというような空気がないのです。また、開発できない人や管理のできない人というのは、無能と呼ばれてお荷物扱いされるのが当たり前です。愛嬌とか世間話でなんとかごまかせるという世界ではありません。

特に私のような氷河期世代だと、新卒で就職した頃に煮え湯を飲まされた人ばかりですから、バブル世代のように就職が楽だったとか、馴れ合いで何とかなったという人々を極端に嫌う傾向があります。できない人間はどんどん切り捨てる、そういう空気があります。

他の先進国も同じで、良い仕事というのは減っていますし、とにかく競争が激しいのです。仕事は数字で評価をする世界ですから、日本以上に厳しいものがあります。そんな世界では人におべっかを言ったり、物を配っても何の配慮もしてもらえないのです。

非効率なことや雑談は時間の無駄です。

ちなみに、私のツイートや本が単刀直入なのは、私が無駄と非効率が大嫌いなリバタリアン（完全自由主義者）だからです。リバタリアンは、個人が自由に活動し、無駄を省いて、自分の能力を最大限発揮することが、社会に最も貢献することだと考えています。

効率を妨害することは、リバタリアンにとってなんの付加価値も生まないどころか、有害なことなのです。もともとのこのリバタリアン的な性格に加え、氷河期世代であるということも、自分の考え方に大きな影響を及ぼしているような気がします。

ところが子供を持って体験した社会というのは、全く違っていました。人と世間話をしたりするような余裕とおおらかさがある人が大勢おり、他人に対して無償で親切にする人がたくさんいるのです。この人達は工数分の金をよこせということを言いません。

さらに、知らないことを聞いても親切に教えてくれるのです。これがビジネスの世界だと、知らないと言うことや、単純なことを質問する人間はその場でズタズタにされたり、不適格ということでチームから外されたりします。そういう厳しい競争原理の働かない世界があるのかということは、自分にとって大変に驚くべきことでありました。

私はなぜ「海外出羽守」であることをやめたか

さらに私は、このような体験をするまでは、いわゆる典型的な「海外出羽守」でありました。

「海外出羽守」というのは、海外で教育を受けたり働いたりしている日本人で、何でもかんでも海外の方が素晴らしいと絶賛する人々のことを呼びます。これはネット業界では海外かぶれで視野が狭い人間を嘲笑する言葉です。

なぜ私が「海外出羽守」であったかには理由があります。

私は、多くの「海外出羽守」のように、アメリカの大学と大学院で教育を受け、現地の組織で働いたり、外資系企業で働いたりしてきたからです。特にここ20年余りの間に海外で教育を受けた人には、少なからず私のようにＩＴ業界や金融業界などの、いわゆる知識産業に関わる人々がいます。

なぜそういう業界に行く人が多いかというと、海外での教育は大変お金がかかり、親が投資してくれたお金や、自分の借金を返済するために、報酬が高い業界に行くほかないからです。私の場合は、２０００年前後に大流行したインターネットビジネスに興味があったので、ＩＴ業界に行くことにしたわけですが。

こういう知識産業の中心というのは、現在では北米や欧州北部です。残念ながら日本の組織というのは、こういった地域に比べて仕事のやり方や技術自体が大変遅れており、非効率がはびこっています。

昭和の製造業のやり方で仕事を回そうとするのでうまくいかないのです。例えばその代表は、職能別に人を採用するのではなく、組織の一員として迎えて組織内で訓練したり、ローテーションを回したりするという、グループ型の雇用です。これは大規模製造業が中心であった頃は有効なやり方でありましたが、個人プレーがものを言う知識産業が中心になる世界では全く世の中の動きに合わないやり方です。

また日本は知識産業に投資をしてこなかったので、海外の大学や大学院で得た高度な知識を国内で活かす場というのがありません。ですから働くなら国外の組織や日本にある外資系企業に行かざるを得ないのです。

そういった業界で見えてくる日本の姿というのは、20年以上停滞していて、収益性でも技術でも、全く北米や欧州北部にかなわない非常に情けない姿であります。

ですからビジネスの点で見ると、「日本は非常に遅れている」という視点にならざるを得ないのです。

「海外出羽守」は概して高学歴なのでその多くが晩婚です。キャリアを主眼に置きますから子供がいない人も多いのです。

そうすると彼らの生活する世界というのは、自分や配偶者、友人、そして似たような経済レベルで似たような教育レベルの現地の人々で構成されていることになります。

彼らは高学歴で高収入です。そして留学できる経済力がある家庭出身ですから、日本での所得階層は中の上以上です。父親の収入はバブル期で年収1千万円を超えているのが最低ラインでしょう。

そして彼らの多くは都会育ちです。私が知っている例でもこうした人々の親というのは、外交官や官僚、商社マン、銀行員、証券マン、大学研究者、技師、医師、裕福な自営業などが大半です。海外留学するには大変なお金がかかりますから、お家にある程度の財力がなければ無理ですし、その大半は教育熱心な家庭です。彼らは日本のトップ10％ぐらいの階層に入る人々です。

そういう階層の人々なので、現地で付き合う人々も似たような階層で、配偶者も同様です。日本語で大量に発信できる余裕と文章力がありますから、学力もそれなりです。文章を書いて人に明確に意図を伝える言葉を発するのも、ある程度の教育基盤がなければ無理です。仕事仲間もだいたい似たような人になります。そして価格の高い住宅地に住みますから、近所の人も似たような階層です。

ですから海外出羽守の人々は、現地で公的なサービスの世話になって生きている人々や、高齢者、低学歴の人々と接点がありません。また、普段は家と仕事の往復ですから、地域社会を細かく体験することもないのです。

そうすると何が起きるかというと、自分の所属階層を基準として、自分の母国である日本のありとあらゆることを評論するようになっていきます。

やはり母国は母国ですから愛着があります。仕事の世界では日本が負け続けているのを目にしているので、なんとかうまくやれるようになって欲しいという希望があるのです。

そこでネットで、不特定多数の人に対して「日本はここが遅れている」「日本のこんなところはダメだ」と批判を繰り返す「海外出羽守」になっていきます。

ところがその批判は、普段海外で目にしているものや、接触している人々が、その社会のトップ10%以内に入るぐらいの階層の話です。それを基準として日本のありとあらゆるものを批判したら、粗(あら)が目立つのは当たり前です。

「海外出羽守」の海外信仰の起源

また彼らは少なからず現在40代から50代ですが、この人達が小中高生だった頃の日本では海外の例を絶賛し、日本の劣っている部分を批判するというテレビ番組が大変流行っていました。

例えば大橋巨泉さんが司会を務めていた「巨泉のこんなモノいらない⁉」はその代表です。

当時、日本のテレビ業界で制作に関わっていた人々というのは、その頃に30代から50代の人々ですが、戦中戦後の混乱期に大変貧しい子供時代を過ごした人が少なくありませんでした。敗戦を体験していますから、潜在的に「日本はダメだ、強い海外（アメリカ）に見習おう」という意識があります。

彼らの子供が、現在の「海外出羽守」です。必然的に、親の影響を受けてそのような考えになっているわけです。

私の父や親類達も、戦中戦後の混乱期を体験しています。

私の父方の祖父は帝国海軍の士官でC級戦犯でありました。戦後、7年間失業した後で、自衛隊の創設に関わることになります。

もともと海軍機関学校で学んだエンジニアで、駆逐艦の機関長や軍需工場の立ち上げをやっていたので、アメリカを始め、欧州との技術面や経済力の差を嫌というほどわかっていたのでしょう。彼の体験は子供達にはかなりの影響があった模様です。

彼の朝食は生涯イギリス式のオートミールで、洋酒を好み、イギリス式のスーツを着こなして、狩りに行く時はビーグル犬を引き連れて、ツイードのハンティングウェアを着ていました。お祝いの席の食事は洋食です。戦争経験者だからこそ、海外信仰が大変強かったのです。

私の父は自動車の技術者でしたが、ドイツとアメリカの進んだ技術を研究し、海外の車を分解して中を調べてエンジンを開発するという仕事をやっていました。

ですから祖父と同じく、父や同僚の人々は、海外の技術や企業の進んでいる点を十分にわかっていたので、子供だった私に英語を学べ、海外に行けと始終繰り返していました。

私の母方の祖母は戦争で最初の夫を失って、幼児だった叔母を抱え、食べるものもなく苦労していました。それを見かねて雇ってくれたのが進駐軍の将校でした。彼らは元製糸工場の女工で読み書きすら微妙だった祖母を、ＰＸ（post exchange　米軍内の購買部）の警備員として雇って、クリスマスケーキやさまざまな食べ物もプレゼントしてくれました。

当時の日本は、戦争未亡人に対しての風あたりが大変強く、祖母を助けようとする人はほとんどいませんでした。そんな中で、もと敵国のアメリカ兵がうんと親切にしてくれたことは大変印象的だったようで、「外人は親切」ということを繰り返し言っていたのです。これも私の潜在意識に非常に強い影響を与えました。

そのような身内の体験があったので、私は必然的に海外で学んで外国の組織でも働いてみようという気になっていたのです。そして実際にアメリカで学んでみて、海外で働いて目にしたのがバブル崩壊後の日本の停滞と、知識産業への対応の大幅な遅れでした。仕事のやり方も旧態依然としており、非効率がはびこっていました。これでは日本は駄目になってしまうという危機感がありました。

そこで私は「海外出羽守」となったのです。ネットでは日本に対する厳しい批判を繰り返し、母国がもっと良くなって欲しいと願っておりました。

そのような激しい主張は、私なりの世直し活動でありました。バブル崩壊で左遷された人々、氷河期で就職先がなく、仕事はできるのに非正規に甘んじている同世代の人々、既得権に阻まれて仕事がうまくできない人々、そういった人々の苦悩をどうにかできないか、そういう思いがありました。

子供を持って変わった日本への見方

ところが子供を持ってみるとその見方は大きく変わります。

まず日本は、子育てに関してはアメリカや欧州北部よりも非常に恵まれた環境にあり、これまで自分が日本のメディアや有識者から聞いてきたような「日本では子育てはしにくい」意見とは、実態が大きく違ったのです。

その次に、日本は市役所や中央官庁など、行政がきちんと仕事をしており、書類一つの処理も大変生真面目であり、子育てではその職員たちと関わることがうんと増えるわけですが、アメリカや欧州で体験するような事務的なミスとか、意味不明な交渉などをしないですむのです。

なにせアメリカや欧州では、お役所が書類を捨ててしまうとか、なくすとかいうことが当たり前です。そんなことをしても、謝る人が誰もいないのです。

日本はこういった行政事務に関してストレスレベルが大変低く、それだけで大変素晴らしいことなのだということに気がつきました。

さらに日本の学校は、公立でも暴力事件があまりなかったりして、本当にきちんとしているので、これもやはりストレスが低いのです。日本の教育は詰め込み教育で創造性にも欠けると批判を繰り返していた日本のテレビは、一体何なんだろうというふうに感じました。

また、日本の人々が当然のように享受しているので気がつかないことに、日本の医療の素晴らしさがあります。これは子供を持つ人であれば本当にありがたいことです。他の国では日本のようには子供の医療が充実していないのです。

最も素晴らしいことは、日本は先進国だけではなく、世界全体で見て、治安が最も良い国なので、子供を連れて歩いていても恐怖を感じることがありません。他の国だとそうはいかないのです。先進国だと大都市では麻薬依存症患者や強盗を働く人がいるので、小さな子供がいる人はよっぽど周りに注意して歩いていなければなりません。

何も考えないで歩けるのは、例えば柵で囲まれたプライベートな敷地の中とか、高収入層だけが集まる公園とか、そういう特定のところだけです。でも日本は、大都市の東京であっても安全なところだらけで、そんな心配がないのです。

こうして細かいことを書き始めるとキリがないのですが、子供を持つとお役所や病院、公園、街中など、子供がいなかったら行かないところに行くようになり、さまざまな人と接触をするので、家と仕事の往復だけだったら気がつかなかった日本の細かい良い部分が目につくようになるわけです。

そういうわけで、私は子供を持ってからTwitterでの発言が180度変わったので、中身の人が入れ替わったんじゃないかと言われることが多いのです。それはこういった体験が原因になっています。

第2章

海外では……は真っ赤なウソだった！

1カメ
みにろまくん…
ハァハァ
ウオ〜！
ワアワア！
もぐもぐ
2カメ
叫ぶ同室患者
ボ〜…
ハァハァ
やる気のない清掃スタッフ
くるくる
びちゃ〜
キレる看護師
殺鼠剤
1ヵ月放置されてるファーストフードのゴミ
3カメ

日本で紹介される海外は上澄みの話だった

日本ではよく有識者や海外在住の人々が、海外の子育ては素晴らしいとか、子育て支援は大変充実していて日本よりもはるかに子育てが楽で進んでいるということをテレビや雑誌で言いますが、実はそれは事実とは大きく異なっていることが多いです。

彼らは実は海外には短期滞在しかしたことがない人が大半です。駅前留学の経験すらないのです。さらにその短期滞在も出張半分の訪問だったりすることが少なくありません。

旅行の延長や短期の海外研修出張の感覚でその国の子供の上辺を見ているだけに過ぎませんから、本当の実態を理解できるわけがないのです。

短期滞在なら都会の便利な場所にあるホテル、もしくはせいぜい長期滞在者向けで台所がついているレジデンスにしか滞在しないわけですから、郊外の中流以下が住む住宅地のことはわからないし、家の買い方もわからない、地元の社会保険や年金の金額だってわからないし、病院や福祉のことだって知るわけがありません。通勤すら体験しないわけですから。

さらに子供がいる人だとやたらと子育てのことや教育のことを語りたがるのですが、なにぶん短期滞在で、子供は実際は学校に通っていなかったり、通学していても現地のインターナショナルスクールや日本人学校や、学費が大変高額な私立の学校に通っていたりするだけですから、実はその国の本当に上位5%以内の上層部の生活しか知らないのです。

現地の富裕層や中の上の人々が住む住宅地に住んで、そのような場所を中心に仕事をしたり取材をしたり、研究をしたりして子供のいる生活を送っています。ですからその国の大半を占める庶民の生活や底辺層の生活を知ることはありませんし、興味を持つこともないのです。そもそもその人の生活圏内には上位5%の人しかいないのです。

同僚や友人の話というのも、そういった比較的裕福な人々の生活を元にしたものですから、他の階層の人々の実態を全く理解していないのです。

ですから、これは多少興味がある人であればわかるのですが、その国の政府や学術機関が出している教育や生活に関するレポートや統計を読み込むと、それと日本の有識者や現地日本人の語る「実態」とは、大変な乖離があることに絶対に気がつくはずです。

実は日本の子育てはイージーモード

有識者が繰り返し述べることに、「日本の子育ては大変で、日本の政府は支援が薄く、日本は子育て世代に大変冷たい国だ」ということがあります。

実はこれは真っ赤な嘘です。

まず、先進国の中で、日本ほど政府が子育て支援に熱心な国というのは多くはありません。

それが大変よくわかるのは、まず、子育てに関する金銭的な支援の部分です。

海外の人々が日本に来て大変驚くことのひとつが、日本の保育施設が恐ろしく値段が安く、質が高いということです。

なぜ彼らがそう言うかというと、他の先進国では保育園や幼稚園が高額だったり、公立で激安の場合は日本と同じく待機児童問題が発生したりしており、簡単には預けられないということがあるからです。

例えばイギリスとアメリカの場合、朝8時から午後2、3時までの預かりなどという比較的短い時間でも、都市部の物価が高い地域だと週に5日通えばなんと月15万~25万円かかるのが当たり前です。

このような高額な保育費用には、自治体にもよりますが、全く支援が出ないところがありますし、支援が出ても収入制限があり、中流以上の場合は支援が全く出ないということが少なくありません。

ですから、子供を預けて働く人は、その手取り収入のほとんどが保育費用に消えてしまうということが全く珍しくないのです。

しかも、日本では夕方に延長保育があって、夕方6時や7時、遅いところでは夜9時ぐらいまで預かってくれるところも多いわけですが、他の国だとそんなに遅くまで面倒を見てくれる施設がありません。

幼稚園や保育園というのは、普通、午後3時か、遅くても4時くらいで終わり、若干の延長があっても6時くらいで終わるのが当たり前です。保育が有償のアメリカやイギリスだと、当然午後3時以降は延長の料金をとられて、それはきっちり1時間いくらで毎回お金を取られます。

延長料金は安い地域では1時間800円程度ですが、物価が高い地域の場合は2千500円程度です。このような費用を払うのがごく当たり前なのです。

そして、延長保育や一時預かりも、日本のようにポンと預けられるわけではなく、これは園にもよりますが、数日から数週間前に予約が必要な場合も多いですし、学期の初めに予約して費用を払っておかないと預かってもらえません。つまり突発的な一時預かりをやっていないところも少なくないのです。

幼稚園や保育園無料の国でも甘くはない

ドイツはイギリスやアメリカと異なり、自治体によっては公立の幼稚園・保育園が無料だったり、有償のところでも収入に応じて費用を払うので、イギリスやアメリカほど高額ではありません。

ドイツは連邦制なので、自治体により福祉サービスに大きな違いがあります。通常は公立で月に1万円から1万5千円程度、私立だと2万円から2万5千円程度です。年収450万円の世帯だと有償地域の場合は月に2万5千円から4万円程度を払います。

(https://www.muenchen.de/int/en/culture-leisure/education-employment/childcare.html)

ただし問題は、すんなりと公立に入れるわけではなく、待機児童問題も発生しており、親は自治体に訴訟を起こすこともあるということです。公立保育園に入れない子供があまりにも多いため、なんと政府が親に対して、保育園・幼稚園に訴訟を起こす権利を認めたのです。

つまり待機児童問題で困っているなら自分で訴訟を起こしてなんとかしなさいということです。これが「福祉国家」ドイツの実態です。(https://www.theatlantic.com/business/archive/2017/01/german-childcare/512612/)

さらに保育園・幼稚園は日本のように一日中というわけではなく、午前中だけ、午後だけというところもかなりあります。

私立は日本ほど多くはないため、選択肢が限られます。また、延長保育や一時保育などを頼むのも、日本に比べて柔軟性がありませんし、保育園・幼稚園がストや職員研修でいきなり閉まってしまうこともあります。

ドイツは働く人の権利を優先するので、公立なのにストがあるのです。しかもその通知は突然だったりします。なにぶん、公立なので親があれこれ文句を言えないのです。

このようなストはドイツだけではなく、労働者の権利保障の意識が強いイタリアやフランスでは珍しくなく、学校がストで突然閉鎖されてしまうことがあります。親が働いていて子供の面倒を見る人がいなくても知りませんよ、というわけです。私のイタリアの友人や元同僚達も、幼稚園や学校がストで閉まってしまって、困り果てていたことがありました。

もともとドイツは、特にカトリックの地域は家族観が大変保守的で、母親は専業主婦で家庭で子供の面倒を見るべきという考えがあり、保育サービスはあまり充実していませんでした。実は旧西ドイツ側は企業における女性管理職や幹部の比率も他の先進国に比べて高いとは言えません。一方、共産主義の東ドイツの方は保育サービスが充実していたのです。

激安学童保育は日本だけ

日本では、各自治体や学校に学童保育があるのが当たり前ですが、公的な支援を受けているところではその費用は大変安く、自治体によっては費用がほぼ無料なところもありますし、1ヵ月で3千～5千円だったり、また都内でも1ヵ月2万円程度という格安なところがあります。

そういった公的なところに預けられない方の場合は、民間のサービスを使って月に5万～10万円程度の出費があるようです。最近は教育熱心な親向けに20万円近いハイスペックなところもあるようです。しかしこのような民間の高額に「見える」サービスでも、内容を比較した場合、実は他の国に比べたら大変格安なのです。

日本のように激安もしくは無料の学童保育というのは、欧州ですらドイツ等一部の国では存在しますが、どこにでもあるというわけではないのです。

先進国であっても大半の人は、収入の中央値（※メディアン［MED］順位が中央の値。複数のデータを代表する数値のひとつで、平均値よりも例外的データの影響を受けにくい）が日本とあまり変わらなかったりしますから、そのような高額な費用を払えるわけがありません。

ですから例えば収入が年に250万円以下の家庭は、多くの場合、母親が仕事を辞めて家で子供を世話したり、時短勤務やパートに切り替えて午後3時か4時には子供を迎えに行って、家で面倒を見ています。キャリアを中断したくない人の場合は高い保育費用を払って働くわけです。

保育料無料や激安の国でも、保育時間が日本よりも短かったり、ストや保育園・幼稚園の都合でいきなり閉鎖になってしまうことがあるので、フルで長時間働くのはかなり大変です。

しかしそのように激安な学童保育に対しても、日本の人々というのは文句ばかり言っています。これは外国人から見ると大変驚くべきことなのです。

そもそも他の国であれば1ヵ月に4万〜10万円払うサービスがほぼ無料なわけですから、むしろそれはありがたいと思うべきなのですが、何でも無料で与えられていると、そのありがたみが全くわからないようです。

ですから実は、子供がいて働いている人にとっては、日本の方がこういった支援が手厚く、実質の手取りは他の国よりも高くなるということがあるわけです。

欧州は子育て支援が手厚いわけではない

大陸欧州に行けば、もっと支援に与り(あずか)やすいところもあるのですが、注意してほしいのは、大陸は非常に小さな国が多く、国土の面積が小さいですから、日本のような「大きな国」の規模でサービスが展開されているわけではないということです。

地図を見てもわかりますが、日本を欧州に重ねますと、なんと実は北海道から沖縄までで、欧州の半分ぐらいを占めてしまいます。

実は日本は大きな国なのです。

人口比にしても、ドイツやフランスというのは、ひとつの国で人口が日本の半分ぐらいしかありません。イギリスだって日本の半分ぐらいなのです。

これが北欧の国々となりますと、日本の県庁所在地くらいの規模でしか、国の人口がないのです。そういう規模の、小さな地方レベルのところで支援があるといっても、日本とは全く比較になりません。日本だって例えば明石市のように、特定の自治体でサービスが充実しているというケースはありますが、北欧もそんな調子です。

子供の医療費無料のありがたさ

さらに日本の子育て支援で特筆すべきは、ここ最近は多くの自治体で子供の医療費の自己負担分さえも無料になっているところがあることです。中学校卒業まで医療費の自己負担分がほぼ無料になっているところもあります。

私の実家がある地域は、実際、都内通勤圏にありますが、市内での受診や治療だけではなく、日本全国どこでも病院にかかればその自己負担分を市役所は後で払い戻してくれるので、実質、自己負担分が無料なのです。

もっと驚くのは、そういった自己負担無料の医療というのがほぼ上限がなく、子供は日本全国どこの病院でも受診することが可能だということです。

これは他の国からすると本当に驚くべきことなのです。

皆さんは時々耳にすると思うのですが、アメリカの場合、親が働いている会社の民間の健康保険に子供が加入することができなければ、受診できる医療サービスに大きな差が出てしまいます。

しかもそういった民間の保険は、治療費の上限や非常に高額な自己負担の金額が決まっており、大きな手術ともなると、実はその負担分は数十万円になるという保険もあるのです。

恵まれた健康保険に加入できる人々は、大企業に勤めている人や公務員、さらに中小でも非常に景気が良い民間企業に限られますから、パートタイムの人、非正規の人、無職の人はそういった医療サービスの恩恵を受けることができません。

低所得者に対しては公的な医療支援もあり、ほぼ無料でサービスを受けることができる場合もあることはあるのですが、その質は日本に比べたら雲泥の差です。

さらにアメリカの場合は、健康保険によって受診できる病院が制限されているので、どこの病院にでも好き勝手に行くということはできないのです。

この点、医療費無料のイギリスや大陸欧州の場合は、確かに医療費の自己負担もなく、国の国民健康保険に加入して保険料を払っていれば、ほぼ全てのサービスが無料になる国が多いのですが、国の医療サービスの財源が限られていますから、たとえ子供がかなり重めの病気になっていても、病院側や自治体に予算がなかったりすると、希望する治療を受けることができません。

例えば目の感染症とか皮膚病の場合は、症状が軽いとされて、かなりひどい湿疹が出ていたり、子供が痛がっていても、薬局に行って薬を買ってくださいと言われるだけのこともあります。

また、日本では知らない方が多いのですが、欧州であっても医療費の自己負担があるという国もあります。その代表がフランスで、特に小児科の場合は、診療だけで1回数千円から1万円近いお金がかかることもあります。後から払い戻しされる費用もあるのですが、それには書類の作成や交渉が入り、大変面倒くさく、また完全に無料というわけではありません。

さらに、歯科治療の場合は自己負担が発生する国が少なくないのです。その費用は決して安くはなく、日本で自費で歯科治療を受けるのとあまり変わらないこともあります。

欧州の場合、どこの国でもまず最初に、地域に存在する家庭医に登録をして、どんな診療もその家庭医の診療を経てからでないと、専門医に行くことができません。

いきなり小児科に行くことはできないのです。

緊急の場合は家庭医ではなく、総合病院にある緊急窓口に行かねばなりませんが、通常そういった窓口というのは数時間待たされることもあり、子供の場合は優先されることが多いのですが、それでも日本ではありえないほど長い時間待たなければなりません。

そこには麻薬依存症患者や言葉が通じない外国人、暴力事件を起こして血みどろの人、謎の感染症を持った人も来ており、待合室はカオスな状態です。私はイギリスで数回、緊急外来に行ったことがありますが、一度はインフルエンザでなんと5時間待ちました。担当する医師はギリシャ出身で英語が意味不明なレベルでした。

別の病院では、乱闘事件を起こして血みどろの男が待合室で暴れており、牽制する警察官と取っ組み合いをやっていました。イタリアでは友人が具合が悪くなり、緊急外来に行きましたが、倒れて意識が朦朧（もうろう）としていた彼女は、寒い廊下で数時間待たされました。

タダほど怖いものはないということです。

また家庭医は、小児科の専門医ではないので、子供の重篤な症状を見落とすといったケースもあります。ここ数年、イギリスでメディアに取り上げられることが少なくないのは、家庭医による髄膜炎の見落としで、風邪や単なる体調不良と間違えられて重症化し、子供が亡くなってしまったという例です。

家庭医の初期診療による振り分けは、医療資源の無駄を省くという点では良い点もあるのですが、症状が早く進行して重症化しやすい子供などの場合は、このように命にかかわってしまうこともあるのです。

それでもそれは、医療制度全体からしたら稀な例で、割合でいえば誤診や治療の遅れは誤差の範囲です。が、その誤差に入ってしまう方はたまったものではありません。

なお実は、このような医療費無料の国のシステムが子供の医療にとって非常に厳しいものであるということは、私の実体験にもよるものです。

我が家の子供、みにろま君は、2歳の頃に鼻から額にかけてあった膿疱(のうほう)にばい菌が入ってしまい、顔が大きく腫れてしまうということがあり、ロンドンにある子供専門の病院で全身麻酔の手術を受けています。

ところがこの手術にたどり着くまでが大変な苦労です。

まず初めに家庭医に診てもらいましたが、なぜ腫れているかわからないということで、総合病院の緊急窓口に行くように言われました。

小児科専門の緊急に行き、そこで診てくれたのではありますが、結局原因がわからず、そのまま短期間で入院する子供用の病棟に入院するように言われました。

ですが、そこでも毎日のように4～5人の若い小児科医が来るのに、腫れている部分を見たり触ったりするだけで、何が原因なのかわかりません。

10日ほど経ってからやっと感染している部分の膿を培養して、何の病原菌が原因かわかったのです。が、なぜこれが起こったのかがわかりません。

しかし、たまたま診察してくれた小児眼科の専門医がはっと気がつき、設備のある他の病院でMRIをすぐに撮るように言わなければだめだと主張し、病院の事務方と大げんかして交渉してくれたので、やっと検査を進めることができました。

その間にかかった時間はなんと2週間です。

しかも小児科が診断結果などを眼科にきちんと回していなかったので、眼科の専門医の診療が遅れてしまったのです。彼らは同じ病院で働いているのに、です。

同じ大部屋の病室には、みにろま君の他に4名の患者と家族がいましたが、子供なのに身長が180センチ以上ある中学生もおり、彼は一日中吠えており、家族は朝4時や5時までマクドナルドを食べて大声で話しているのです。

病室の掃除はかなり適当で、英語がわからないアフリカ系の男性が、非常にやる気がない感じで、かなり汚いモップで床を丸く拭くだけです。そんな状況で、隣の病室には白血病で急性症状の小学生が入院していました。

ベッドの上に置いておいた枕やシーツは、別の病室の人が勝手に持っていってしまい、看護師は病室の目の前に枕とシーツがあるのに触るんじゃないと私を怒鳴りつけ、新しい物を4時間もくれませんでした。

親の待機する部屋は大変不潔で、併設の台所には殺鼠剤や、誰かが食べたファーストフードのゴミが何日も放置してあり、テーブルも椅子も床もホコリでザラザラでした。

病院食は、朝はトーストかコーンフレークに水道水、昼と夜は冷凍したパックのパスタやカレー、辛いカリブ海料理をチンするだけで、あとはパックのゼリーや小さなミカンがつくだけです。それを2歳や3歳の子供にも食べろと言い、食べないならどんどん捨てられてしまいます。

痛がる子供の様子を見て、私は他の病院に行きたいと考えましたが、しかし医療費無料の国では患者が病院を選ぶことができません。勝手に退院することも許されませんし、いきなり私立の病院に切り替えることもできないのです。

結局、MRIの診断はなんと2ヵ月後で、しかも国立病院では機械が空いていないので私立の民間の病院で検査を受け、その費用を国立病院が払うという、よくわからない仕組みになっていました。

患者の自己負担はありませんが、日本だったら即日できるような検査に2ヵ月以上待たされるのです。

症状が非常に早く進行しやすい子供でさえも、この状況なのですから、どれだけ過酷な状況かということがおわかりになるのではないでしょうか。

みにろま君は結局、診断の結果を受けて子供病院の専門医が手術をしてくれました。専門医の腕は素晴らしく、診断も的確で、医師の専門性を究めて治療を進めるイギリス式のやり方に感心する部分もありました。子供病院の設備もレベルも素晴らしく、こういった病院が無料で利用できるというのは大変素晴らしいことです。

しかしこの病院は、運営費を国からの補助金だけに頼ってはおらず、新興国の富裕層を大量に受け入れて、彼らから私費で治療費を取っていたり、寄付金を煽るように集めてそれを国内の重病の子供の治療や研究に当てていたりします。そして病院内の設備は、ロンドンの金融企業やエンタメ企業の寄付で賄われています。

ですから、厳密な意味では国の補助金だけで運営される無料の国営病院というふうには言えないのです。

医療へのアクセスという点から考えた場合、日本式の方がはるかに恵まれています。親としては日本式の方が安心度は高いのは言うまでもないでしょう。

日本の子育て支援は酷い酷いと言い張る人々は、日本の医療制度が子供の成長にとっていかに素晴らしいものかを無視しているのです。

日本の習い事は激安で選び放題

海外の人が日本に来て驚くことに、日本では子供の習い事が非常に多種多様でしかも激安ということがあります。

日本の親たちは、子供の習い事の費用が高い高いと文句を言っているのですが、他の先進国から比べると非常に驚くべき額です。

他の先進国では、まずそもそも、日本のように習い事の種類や数が多くありません。なぜかというと、日本のように習い事が大衆化しておらず、チェーンで展開するような教室があまり多くないということがあげられます。国によっては、民間の企業が運営するチェーン式の習い事や塾がほとんどありません。

これは北米でも同じですし、欧州のほとんどの国でも同じです。

なぜそういったチェーン式の習い事や教師がいないかというと、日本と比較すると、階級格差と経済格差が非常に大きいからです。

北米も欧州も、もともと格差が凄まじい国で、中世の「格差」が社会の随所に残っています。ですから階級によって嗜む「趣味」「芸事」が違うのです。

例えばスポーツは、どこの国も「階級」によって取り組むものが違ってきます。「豊かな階層」が取り組むのはポロ、ヨット、乗馬、水球、アイススケート、テニス、器械体操、ダンス、フェンシングなどで、道具や場所が必要なものです。アメリカだとこれにサッカーが加わります。イギリスの場合は、さらにラグビーやクリケットなど、イギリスで人気があるスポーツが加わります。

ユニフォームも高価で指導料も高いので、文化的にそのようなものに関心が高く、お金もある層でなければそういったスポーツには取り組みません。

ＩＴの起業家や、アメリカの政治家の子供の取り組んでいるスポーツをみるとよくわかります。例えばビル・ゲイツ氏、スティーブ・ジョブズ氏の娘さん達は乗馬の選手です。

一方で労働者階級や中流以下の場合に取り組むスポーツは、ストリートダンス、ボクシング、格闘技などで、イギリスの場合はそこにサッカーが加わります。

文化的な芸事の場合、音楽やカリグラフィー(西洋習字)、絵画、詩の創作、外国語、フラワーアレンジメントなどをやるのは、中の上以上の人々です。労働者階級や中流以下の家庭は、日本のように誰も彼もが俳句をやったり、ピアノを習ったり、習字を習ったりということがありません。

社会的な圧力も強く、労働者階級の子供が中流以上の芸事をやろうとしたら、近所や同級生から茶化されたりいじめられたりします。お前は俺らの仲間ではない、ということです。

習い事をできるような家庭は多くなく、また教育に対する意識に大変な差があるために、誰も彼もが子供に情操教育を行ったり、習い事をさせようというふうになっていないのです。

ですから例えば日本では40年以上前から当たり前のようにあるヤマハ音楽教室やスイミングスクール、体操教室、大衆化された英会話教室というものがありません。最近だと日本ではショッピングモールの中にこういった塾が入っていて、親が買い物する途中に子供を教室に預けて、食事をしたり買い物したりすることも可能ですし、駐車場も完備ですから天候の悪い日でも子供の送り迎えが非常に楽であります。

教室によっては、スクールが送迎のワゴンやバスを出して送り迎えをやってくれるところもあります。これは私が子供だった40年近く前でも同じでした。今は少子化でサービスが激化して、私が習った頃よりもさらにさまざまなサービスがありますね。

ところが北米や欧州だと、こんなふうに教室のサービスが大衆化していませんから、多くの国では習い事は個人教授で、個人個人の先生から指導を受けたり、地元の人がやっているごく小規模な教室やクラブチームにお金を払って習ったりすることが多いのです。

なにぶん、日本のように大衆化していませんから、初めに先生を探すところから苦労します。

個人教授はそんなに広告を出していませんので、誰から教えを受ければ良いかわからないのです。親は口コミに頼るほかありません。

さらに個人教授ですから、その費用は日本よりもはるかに高くなります。住んでいる地域にもよりますが、例えば語学の授業の場合は、1時間で5千円とか1万円近くかかる場合もあります。それなりの教育を受けた先生から家庭教師感覚で個人授業を受ける場合は、1時間2万~3万円ほどかかる場合もあります。

もちろんこの費用は住んでいる地域や国によるわけですが、往々にして日本よりも割高だということは事実です。

日本の場合は、教室を大企業がチェーン展開していたりするので、教え方のマニュアルも整っており、グループレッスンも多いですから、その分、費用が安くなっています。

他の国ではこういった習い事をするのにも、その人が所属する社会階層やグループに大きく左右されてしまうのです。

どこに良い先生がいて教室があるかということは口コミなので、そういった情報が手に入るかどうかは所属コミュニティや階層に依ってしまいます。

ですから、もともとあまり裕福ではない階級出身で、自分の代で豊かになった人の場合、どこで何を習えば良いのかわかりませんから、そこでもともと豊かな層と大きな差がついてしまうわけです。

つまりこれはブルデューが「ディスタンクシオン」で指摘する、「文化的嗜好が階層と結びついている」ということを体現したものです。

ところが日本の場合は、昭和の時代に社会全体が一気に豊かになり、習い事を経験する子供が多かったですから、そこである意味「文化的なシャッフル」が起こりました。所属階層と文化のつながりが、ある種、あまり意味を持たなくなり、労働者階級や庶民も中流以上の文化に親しんだり、一方で、中流以上の人々も、例えばB級グルメの食べ歩きなど、庶民の文化や習慣に親しむようになったのです。

そのうえで日本の現在は少子化ですから、企業もさまざまな習い事のサービスに力を入れており、社会階層に関係なく、いろんな習い事をすることが可能なのです。

礼儀を無視するのが当たり前な子供達

日本では海外の情報を称賛する人々が、海外の子供は日本よりも礼儀正しく、しつけが厳しいということを信じ込んでいます。が、これも大きな嘘です。

海外に出て、他の先進国で子育てをする日本の人々が驚くことのひとつに、地元の子供たちが、経済的な豊かさの違いに関係なく、非常に礼儀がなっていないということがあります。

特に北米やイギリスの大都市はひどく、子供はやりたい放題です。

保守的な印象の大陸欧州でも、実はそれほどこれは変わらず、私が住んでいたイタリアやフランスは、日本に比べると子供のしつけはほぼないに等しい状況です。

豊かな階層だけでなく、低所得層であっても、多かれ少なかれ状況は変わりません。

日本人がイメージするような、厳しいしつけや教育を施していた北米や欧州の姿というのは、実は日本の昭和40年代（１９６０年代後半～１９７０年代前半）までの話です。

今の70代、80代以上の人々が子供だったり、子育て世代だった頃の話なのです。

このような子供のしつけの悪さは、街中を歩いていてもよくわかります。

多くの街では、子供は電車やバスに乗る際にきちっと列に並ばないことが珍しくありません。田舎の方に行けば、近所の人が見ているのでそれほどひどくはないのですが、北米や欧州の大都市の場合は実にひどく、他の人を押しのけて乗っていってしまう子供がかなりいます。


美術館や博物館など、公共の場で大騒ぎする子供も多く、日本の子供であれば幼稚園児でも静かにするとわかっている場所でも、北米や欧州の場合は、ある程度大きくなっている子供でも大騒ぎです。

ですから親たちは子供を連れて博物館や美術館に行こうと言いません。子供が言うことを聞かないので静かにできないからです。

このようなことは映画館や遊園地でも同じです。北米や欧州の映画館に行くと、日本の親たちは開いた口がふさがらなくなるでしょう。

イギリスやイタリアの場合は、子供達は映画館に来るとポップコーンやお菓子を食べ、それを床に放り投げて足で踏んでいるのです。

飲み物も飲んでそのまま放置して、ゴミ箱に捨てに行くことさえしません。足を前の人の座席にどんと置いてもへっちゃらです。他の人の座席の前をどんどん横切るような子供もいます。

しかし、そんな子供を注意すると、自分の子供に危害を加えられたりします。子供といっても、小学生でも体が大きいので、大人が殴られると死んでしまうことがあります。刃物を持った子供もいます。またその子の親に暴力を振るわれる可能性がありますから、マナーが悪い子供がいてもぐっと我慢するほかないのです。

お菓子を振りまかれて足で踏まれた床は、カーペットですから毛足の間にゴミがきっちりと詰まってしまいます。しかしそんなことを気にする子供はいないのです。

イギリスやイタリアの親子連れが去った後の映画館というのは、まるでゴミ捨て場です。そして親もそういった子供のマナーの悪さを全く注意することなく、そのまま大騒ぎして出て行ってしまいます。

そういった姿を苦々しく眺めているのは70代、80代の人々です。

しかし彼らも、子供や孫世代に注意をしても、全く言葉を受け入れてもらえないので、しつけをすることを諦めています。

比較的豊かな階層の人々が集まる劇場や学校でも、これはそれほど違いはありません。

私が非常にびっくりしたことに、以前、子供の学校の行事でクリスマスの劇を見に行ったことがあったのですが、さまざまな学校の子供が来ており、その劇場は比較的裕福な地域の人々が集まるところだったのですが、やはりその辺の映画館と同じように、子供や親たちは床に食べかすやゴミを投げつけ、足で踏んで大喜びして遊んでいるのです。

学校行事なのにもかかわらず、親達は、劇場で静かにすることや礼儀正しくすることを教育だと理解しておらず、チケットのもぎりの人にも挨拶をする人は誰もおらず、劇の合間も子供が椅子の上で飛び跳ねて大騒ぎをしているのです。

その会場で律儀にゴミをゴミ箱に捨てに行ったのは、中国系やマレーシア系など、東アジア系の人々だけでした。

このような状況が当たり前ですから、他の先進国の人々は日本にやってきて、子供達があまりにも静かで礼儀正しいことに大変驚くのです。

また、さらに彼らが驚くことは、日本では小学校や中学校がバスや電車などの公共交通機関を使って社会見学に行ったり、美術館や博物館に行ったりする姿を目にすることです。他の国では子供が騒ぐので、それはほとんど不可能です。

他の国の子供たちは非常に乱暴で、学校の中の備品や公共の場のものを壊してしまうので、そういった場にあるものは、日本に比べるとなんとなく薄汚れていたり壊れたりしていることが少なくありません。これも、日本の子供とは行動があまりにも違うからです。

日本では他の先進国よりも公立の学校の1クラスあたりの子供が多いのですが、それでも学校がちゃんと回る、という理由を、海外の先生たちは理解します。子供がおとなしいので、人数が多くても指導がしやすいのです。

しつけ皆無は過去の反動

なぜ子供の行動がこんなにひどくなってしまったのかということには諸説あるのですが、北米や欧州では、実はこれは過去の子供に対する指導の反動なのではないかという意見があります。

例えばイギリスの場合は、日本の昭和50年代に当たる頃に学校に通ったうちの家人や、義父母、親戚の人々、近所のお年寄りなどの体験がそれを物語ります。

その頃までは子供のしつけが大変厳しく、日本の感覚でいうと虐待に当たるようなことが割と当たり前でした。

イギリスではその当時、私立の学校でも公立の学校でも、子供に対して角材やムチで叩いて体罰を加えることが当たり前だったのです。

罰の与え方に明確な規範はなく、先生の機嫌次第。学校が決めた勝手なガイドラインによって、子供が不適切な態度をとったとされると、他の子供の目の前や、懲罰を加えるための部屋に連れていかれたりして、下着を脱いでお尻を出して、ムチでミミズ腫れになるまで殴られたり、手で叩かれたりするのです。

その頃の学校では、罰を加えられる子供のうめき声や叫び声が聞こえることが珍しくありませんでした。

わが家の家人のおじいさんが子供だった頃、つまり戦前のことでありますが、その頃は子供をムチで殴りつけるのは非常に日常的なことで、一般的な家庭でも当たり前のように行われていました。

おじいさんは小学校高学年の頃に両親を失い、親戚の家で育てられていましたが、ほぼ毎週のようにムチで殴りつけられていました。そのように教育するのが適切であると考えられていたからです。

そのような厳しく愛情がない生活を嫌って、おじいさんは15歳で家を出て、重工業の会社で丁稚として働き始めます。彼のような例が珍しかったわけではなく、当時は子供をそのようにしつけて人間以下の存在として扱うことが当たり前だったのです。

また、家人の学校では——それはイギリス北部の公立なのですが、生徒がよそ見をしていたりぼーっとしていると思われると、先生から鉄拳制裁が加えられたり、教壇から巨大な辞書を投げつけられ、頭に命中するのです。そのような姿を見て、他の生徒はゲラゲラと大笑いします。

厳しさの反動でしつけをしなくなったイギリス

しかし、このようにあまりにも厳しいしつけ方は、1980年代後半になると、教育専門家などにより、厳しく批判されるようになり、イギリスは全く正反対の方向に舵を切るようになります。

学校での体罰は全て禁止され、それどころか生徒に対して問題点などを直接注意することすらできなくなってしまいます。

現在のイギリスでは、生徒に何か問題があった場合、先生は直接注意することができません。

それは生徒の人格や個性を否定すること、自尊心をそぐような行為として考えられるので、教員が生徒に注意をする時は遠回しな形で「提案」をしなければなりません。

さらに、問題に対する証拠が必要ですから、証拠を揃えてそれを報告書の形にして残し、親に通知をするという方法がとられます。

90年代以降は教員個人や学校に対する訴訟が激増しました。生徒に対する注意も人権侵害として訴訟の対象になってしまうことがあるのです。

成績評定に関しても、親が学校に対して訴訟を起こすことが珍しくありません。

過去の恐ろしく厳しい指導と正反対の方向で、現在のイギリスは、日本ではびっくりするような遠回しな指導が行われているのです。

しかし、そのような、いわばゆとり系の指導が行き過ぎてしまったために、現在では生徒の行動を制御できないという状況になっています。このような実態は、日本ではなかなか報告されることがありません。

自尊心が肥大化した子供達

子供達は、小さな頃から教員や大人に注意をされるということに慣れていませんから、彼らが大学生になったり、社会に出始めると大変なことになります。

大学の場合、答案や研究のやり方に対する指導を、個人的な攻撃をされたと取る学生が少なくなく、その注意を全く聞き入れることができないのです。

それどころか教員の揚げ足を取って学校に対して訴訟を起こしたり、個人で弁護士を雇って人種差別や人権侵害にかこつけて損害賠償を請求するということが珍しくないのです。

また、職場の場合は、若い人に対して指導をすることに頭を悩ませている中年以上のイギリス人が少なくありません。部下に少しでも厳しいことを言ってしまうと、人権侵害や性差別、人種差別、いじめというふうにとられて、やはり人事部に通報をしたり、訴訟を起こす人がいるので、注意をするのにも相当に気を使わなければならないのです。

このような状況の根源となっているのは、過去の厳しい指導の反動として緩くなった子供に対するしつけや指導なのではないでしょうか。

刑務所のような評価システム

生徒に直接指導をすることが難しいので、学校側ではいろんな知恵を絞って評価のシステムを作り上げています。

例えばイギリスの場合は、なんと幼稚園からさまざまなポイントシステムがあるのです。

子供が良いことをするとポイントが与えられ、またその一方で悪いことをするとマイナスポイントが与えられます。

このようなポイントシステムは地域や学校によっていろいろあり、多くの学校で似たようなシステムが取り入れられています。

先生は、直接指導するかわりに生徒のポイントを調整することで行動を可視化します。マイナスポイントが貯まっていく場合はイエローカードやレッドカードといった警告が与えられ、あまりにも酷い場合は生徒の行動を報告書に明記して親に報告し、校長室に呼び出して面談を行うことになります。

生徒がいつどんなことを行ったかということを、全て記録にとって、裁判になっても証拠として使用できるように準備をしておくわけです。

つまり学校側は、そこまでして「教員や学校を守る準備」をしておかないと、生徒や親からどんな反撃をされるかわからないということなのです。

そしてこのような厳しいポイントシステムが適用されているのは、中学校や高校の話ではなく、なんと幼稚園からなのです。

良いポイントというのは、じっくり話を聞きました、ものを片付けました、友達を助けましたというようなことで、日本だったら特に褒められるような行動ではなく、できて当たり前なのですが、イギリスではそういったことをできる子供が少ないので評価の対象になっているわけです。

一方、マイナスポイントはどんなものかというと、授業中に立ち歩きを止めなかった、授業から脱走した、家に帰ってしまった、同級生に暴力を振るって顔面を殴りつけた、教員に暴力を振るった、教員や同級生に対して罵倒する言葉を使った、などといったものです。

つまり、幼稚園児でさえもそういうことをやっているということなのです。

乱暴者や、逸脱した行動の加減というのが、日本の子供では想像できないようなレベルなのです。

事実、4歳や5歳の子供が、学校にある備品で同級生を殴りつけたり、グーでパンチをしたりするのが珍しくなく、これは底辺層の学校だけではなく裕福な学校でもよく見る光景なのです。

非常に教育で定評がある学校でも、生徒が立ち歩きをしたりと、日本の感覚では授業崩壊になっているという状況も珍しくありません。

しかし教員は生徒に厳しく注意をすることができませんから、こういった悪い行動をポイント化して、ある程度ひどくなった場合は親に注意をするということしかできないのです。

こういった状況はイギリスだけではなく、フランスやイタリア、ドイツ、スペイン、スウェーデン、フィンランドといった国でも似ています。日本では高福祉国家のイメージのスウェーデンでも、教員が生徒に暴力を振るわれることが大問題になっており、厳しく叱責するかどうかが議論になっているのです。昔に比べて子供の行動が制御しづらくなっており、指導が大変だという声は珍しくありません。

アメリカの場合は経済格差や地域格差が凄まじいために、裕福な学校であれば礼儀正しかったりするのですが、貧困地区の場合は暴力や麻薬問題が当たり前ですから、これまた日本とは問題のレベルが違うというわけです。

しかし、そういった実態を自分の目で実際に見ていない研究者や日本の有識者達は、「海外の子供達は礼儀正しくしっかりと教育されている」と、空想的なことを述べるばかりです。

むしろ今の時代に海外の人々が参考にするべきなのは、礼儀正しくおとなしい日本の子供達です。

送迎の車で怒鳴り合う親達

行動がひどいのは子供だけの話ではありません。

海外の先進国では、子供の身の安全が保障されないために親が子供を送迎することが珍しくないのですが、なんとその送迎する親達の行動というのが、日本の感覚だとびっくりするようなものが少なくありません。

例えばイギリスの場合ですが、非常に自己中心的で自分勝手な親が多いために、学校がある地域に親が車で乗り付け、駐車禁止のところに勝手に車を停めるということが全く珍しくありません。

困り果てた学校や自治体が、その学校がある地域への車の進入を、送迎の時間だけ全て禁止にすることもあるほどです。

さらに親同士のマナーもひどく、送迎の時間は渋滞しますから、親同士がもめて殴り合い寸前になったり、車の窓から首を出して他の車を怒鳴りつけていることもあるのです。

日本だとここまで荒い人というのをなかなか目にすることがありませんが、他の国では決して珍しくないのです。

しかも、そういった人々というのが決して底辺層というわけではなく、中流の上など、比較的裕福な階層も少なくなく、彼らはポルシェやランボルギーニ、レンジローバーなどの高級車を堂々と駐車禁止の場所に停めて知らんぷりです。学校側が注意すると、先生や事務の人を捕まえて、他の人々の目の前で朝から怒鳴り合いの大喧嘩をしていることもあります。

親がこの調子ですから、子供のマナーがひどいのも当たり前です。

教員が全く尊敬されない社会

子供も親もその調子でありますから、学校側を単なるサービス提供側と考えていて、日本と異なり、教員が全く尊敬されません。

日本では教員の地位がずいぶん下がってしまって、昔に比べると尊敬されなくなったという意見がありますが、しかしまだまだ他の国に比べると尊敬される地位にあり、敬意を払う人もたくさんいます。

ところが他の先進国では経済格差が広がっているということもあり、教員というのは、賃金が決して高い職業ではありませんから、「高い給料をもらえない人々」と言って見下す親や子供がたくさんいるのです。

日本以外の国でも、昔は、教師というのは地域の名士のような印象がありましたが、今はそうではありません。

教員は低賃金の教育サービス提供者で、常に親や生徒からの訴訟リスクにさらされており、その一方で学校側からは非常に厳しい目標を設定されたりしますから、ストレスが高い割には報酬が低く、非常に大変な仕事です。

しかもコロナ禍では、ウイルスが蔓延する中で不特定多数の生徒を相手に対面で授業しなければならないというリスクにさらされました。健康上のリスクも大きい職業です。

そのような状況は、決して今始まったわけではなく、アメリカだと20年以上前から、教員というのは敬遠される職業でした。

賃金が安く、公立の学校だと麻薬や暴力問題がはびこる底辺校に配属されざるを得ない可能性もありますので、アメリカでは実に危険な職業なのです。

これはイギリスも同じで、生徒に逆恨みされて危害を加えられるということもありますから、決して安全な職業ではありません。

日本だとそこまで暴力を振るわれるということはないですが、イギリスの場合は、教員が教壇に立っている時に、生徒に刃物で刺されて死んでしまったという事件もあるほどです。また、成績の評定に関して保護者と揉めることもありますから、ストレスの高い職業でもあります。

人種別で派閥が分かれている学校

日本の有識者やテレビに出ている人々が言うことに、海外の学校は日本と違って多様性があって非常に国際的だということがあります。

確かに先進国の大都市の場合は、ある意味それは事実です。しかし、日本のメディアで喧伝されるような多様性の姿と実際の状況とは大きく異なっています。

まず初めに、多様性の典型例として取り上げられるようなアメリカやカナダでさえも、学校内では人種別に派閥ができてしまっているということが珍しくありません。大昔に比べれば人種の融合が進んでおり、多様性も進んでいるわけですが、なんだかんだ言って人種によってグループが分かれてしまっているのです。

これは大学のように比較的自由な雰囲気が漂うところでも多かれ少なかれ同じで、白人は白人、黒人は黒人、そして東アジア人は東アジア人で何となく固まっており、ごく一部の人々が多人種で交友関係を作り上げています。

しかし、非常に驚くべきなのは、こういった人種によるなんとなくのグループ分けというのは、乳児や幼児でもなんとなく起きてしまうということです。

子供は偏見がないので人種的な多様性を許容できるという意見もあるのですが、実際に子供の集まる遊び場や幼稚園で見ていますと、なんとなくではありますが、やはり同じ人種や同じような見た目の子供同士で固まっているのです。

親が教えたわけでも先生が指導したわけでもなく、ごく自然にそういうふうになっています。親や親類と似たような見た目の子供が、なんとなく固まっているというだけなのかもしれませんが。

これは有識者と呼ばれる方々があまり触れないことですが、北米でも欧州でも、その中の人種が多様な大都市であっても、学校によって人種的な偏りができてしまっているという実態があります。

例えば欧州で最も多様なはずのロンドンでは、学校により、白人が多い学校、黒人が多い学校、南アジア系が多い学校というふうに、人種がかなり偏っています。

公立の学校の場合、地域によっては生徒の80%近くがアフリカ系という学校があるのです。また白人の親は、子供にキリスト教系の教育を受けさせたいので、カトリックの学校やイギリス国教会系の学校に通わせます。するとそういった学校はどうしても、白人のカトリックの子供やプロテスタントの子供に偏ります。

ユダヤ系の親は、ユダヤ人学校に子供を送ったりします。ギリシャ系の親は、ギリシャ正教系の学校に子供を送ります。南アジア系や西アジア系の人々は、同じような地域に固まって住みますから、その地域の学校にはどうしても南アジア系や西アジア系の生徒が多くなります。学校によっては半分以上ということもあったりします。

しかし、学校ガイドでは細かい人種分類は載せないことになっていますから、そういった事実は書類には出てきません。

ただ、ネットの口コミサイトや掲示板は実に正直で、親達が匿名で、どこの学校はどの人種が多いか、という情報交換をやっています。実際に子供を学校に通わせることになってから、学校によって人種が大きく偏っているということを実感して驚く親が少なくないのです。

これは地元の人々は知っていることですが、口に出すことはありません。

そしてやはり、特定の人種が多いところに違う人種の人が通っても、習慣の違いやなんとなくの居心地の悪さで、結局、転校する羽目になったりします。

多様性があるロンドンのような地域でも、実は人種は融合しているわけではなく、なんとなく緩いグループを作って似たような人々と集まって生活をしているのです。

同じ人種で固まっている人々が、他の文化や人種に興味を示すかというとそういうわけでもなく、あくまで自分達の似たような文化にしか興味がなかったりするということも珍しくはありません。

それは政治的には正しくないことですから、口に出して言うことではありません。しかしながら、これが海外で子育てしながら生活した際に直面する現実であります。

・海外の人は日本でスタディするべきだよ

コロナがだいぶ収まり始めた2021年4月の春休みの頃です。

みにろま君は、この頃、Apple TVから検索して、さまざまな国のニュースを見ることにはまっていました。

特に彼のお気に入りはスカイニュースやRTです。

イギリスのテレビでは流れないような世界中のニュースが流れるので、とても面白いようなのですね。

ある日、テレビに写し出されていたのは、北アイルランドのベルファストでバスが燃やされ、警官に殴りかかったり、火炎瓶を投げつける人々の姿でありました。

みにろま君「マミー、この人たちは一体何をしているの？　ガバメントにプロテスト？」「マミー、なぜ北アイルランドピポーはファイトしてるの？」

ワイ「プロテスタントとカトリックっちゅうキリシタンの人々が、考えが合わなくてずっといがみ合ってるのや」

みにろま君「ジャパンとインディアはゴッドがたくさんだけどファイトしないよ。北アイルランドの人はジャパンで勉強したらいいのに。そしたらファイトしないでしょ。香港ではいつも人がガバメントにプロテスト、ロシアとウクライナでもファイティング。なんでみんないつもファイティングやプロテストばかりしてるんだろう」

みにろま君は年長児ですが、彼が住んでいる世界では、常に紛争や宗教的対立が繰り返されています。つまり、争いが起きたり対立したりすることが当たり前の世界なのです。

日本のような「多神教の土地」や、政治的紛争がほとんどない国というのは、実は世界的には珍しいのです。

日本はとても特殊なところなんだ、ということを、小さいながらに感じ取っているようなのです。

日本だけにいたら当たり前になっていて気がつきにくいことですが、子供はするどいですね。

第3章

子供の人権、それはどこ？

こんにゃろまて〜い!
みにろまくんがんばれ〜
わーっ!
まてー
キャ〜ッ
この話もう5回目
みにろまくん、日本で遊んだ時ホント〜に楽しかったんだね…
ホロリ…
マミーきいて!!ジャパンのパークでタグ(鬼ごっこ)した時ねー
ペラ
あっ!!そいえばその時にねー
ぷぷー!!
ペラ
もう3ヶ月経つっつーのにチミは…

放課後に遊びに行くことができない子供達

日本では、海外に比べて、子供の人権がないがしろにされているといったことを言い張る有識者やテレビの人々がいますが、それは事実とは大きく異なっています。

人権とはどういうことかというと、その人が安全を保障され、ある程度の生活レベルを維持し、人間らしさを発揮して自由に生きられることでしょう。

その中でも、人権擁護に関して最も重要なことは、身の安全が保障されるということではないでしょうか。

例えば紛争地では生命が常に危険にさらされますから、基本的な人権が全く保障されていないことになります。

表現の自由や両性の平等、福祉が提供されるといったことは、生命がまず保障されてからの話です。

ところが海外の先進国の場合は日本に比べてはるかに治安が悪いですから、そういった点で基本的な人権が保障されていないということができます。

特に子供の人権に関しては、外が危険だらけで自由に歩いたり、子供だけでは外遊びもできないわけですから、厳密な意味で言うと、彼らの人権が全く保障されていないのではないかということになります。

日本の方からすると、一体何を言っているんだとお感じになるかもしれませんが、実は日本のように、子供が子供だけで通学をしたり、塾に行ったり、自転車に乗って公園に自由に遊びに行ったり、道路で遊んでも全く危険がないというところは、正直に言いまして、先進国では相当な田舎でない限りはありません。大都市の場合はほとんど不可能です。

そもそもあまりに治安が悪いため、12歳とか14歳以下の子供だけでは勝手に遊んではいけないとか、行動してはいけないという法律があるのです。常に大人の監視下で活動しなければ、親が逮捕されてしまうのです。

ですから海外の人が日本に来て大変驚くことは、小学生がランドセルを背負って、めいめい電車通学をしていたり、1人だけで塾に行っていたりすることです。他の国ではありえない光景だからです。

ショッピングモールに行けば、子供たちだけで遊びに来ている姿を目にしますし、公園でも親がついておらず子供だけで遊んでいる子たちがたくさんいます。子供だけでゲームセンターに行く子たちもいますね。夜遅く塾から帰ってくる小学生は、1人で電車に乗っています。こういった光景は他の国では大変珍しいことなのです。

しかししばらく日本にいれば、外国人の人々も、日本は治安が良いので子供だけで行動しても問題はないのだ、ということに気がついて、治安の良さを実感するわけです。

治安の良さは、彼ら外国人が、日本の各地にある交番の様子を見ていてもよくわかると言います。警察官の仕事の多くは道案内や高齢者の支援だったりして、麻薬による犯罪や強盗の捜査で多忙すぎるということはないのです。ましてや交番を襲うような犯罪者もいません。

他の国だと、交番を襲って拳銃を強奪したり、警官から現金を盗み取ろうとする犯罪者がいますから、そもそも交番のような公共のための施設を設定することができないのです。

また日本では子供同士の犯罪というのもそれほど多くはありません。

ところが他の先進国の場合は、小学生であっても非常に暴力的な犯罪を子供同士が行うことが珍しくないのです。

例えばイギリスの場合は、小学生が麻薬取引に関わっていて、敵対する他の小学生をナイフで攻撃する事件が発生しています。暴力事件も、日本とはその暴力性が異なり、小学生であっても体が大きいですから、他の子供を殴って殺してしまうことがあります。

そういった事件が起きると、日本では社会的な問題になりますが、他の国ではあまりにも件数が多いために、新聞の社会面のちょっとした記事で終わってしまいます。

日本の場合はまた少子化ということもあるのですが、少年の犯罪率自体がぐんぐん下がっており、これは他の先進国に比べると逆に向かっている非常に珍しい事例です。

日本は先進国なのにもかかわらず、唯一、青少年の凶暴性というのがどんどん減っている珍しい国なのです。

若い人は気力がなく、おとなしすぎると批判する人々もいるのですが、犯罪が少なく良い人が増えているという、評価するべきポイントもあるわけです。

子供の人権擁護という点で考えた場合は、犯罪がない方が良いわけですから、日本は非常に良い方向に向かっているということが言えるでしょう。

夜6時に自室に閉じ込められる子供達

日本では、子供を中心に生活を組み立てる親が非常に多く、個人主義の人が増えたと言われる現代でも、それはあまり変わらないようなのですが、北米や欧州では、実は日本とは状況が大きく異なっています。

全体的に見て、北米や欧州というのは大人が中心の社会です。

その振る舞いは、日本の人が見ると少々驚くところがあるかもしれません。

例えば日本の人が非常に驚くことに、北米の親や、欧州の特に北部の親というのは、子供の生活を規則的にスケジューリングしていたりします。

典型的なのは夜寝る時間や夕食の時間です。

日本では割と子供は寝るのが遅く、親が遅くまで働いていることもあり、幼稚園児や保育園児であっても寝るのが夜8時から9時という子供がいたり、小学生だと塾通いもあるので家に帰ってくるのが夜10時などという子供がいます。が、北米の厳しい家庭や欧州北部の家庭だとそれはあまりないパターンです。

イギリスの場合はそれがかなり徹底しています。

家庭では、子供は学校が終わると少なからずアフタースクールに行ったり、習い事に行ったりするわけですが、夜6時には家に帰ってきて、親は子供をお風呂に入れて、絵本などをちょっと読んだ後に、そのまま自分の部屋に直行させて、ドアの鍵を締めてしまいます。つまり夜6時半とか7時までには自室に閉じ込めて寝かせてしまうわけです。

夕食はどうするかというと、家に帰ってきてから、夕方4時半とか5時ごろに子供だけで簡単なスナック的なものを食べさせ、それを夕食にしてしまいます。アフタースクールに行く子は、そこで出てくるサンドイッチとか簡単なスナックが夕食です。

要するに、大人と子供が食べる夕食を別々にしているのです。労働者階級の家庭だと、これを「ティー」と呼んでいます。直訳した場合は「お茶の時間」になるわけですが、彼らの文化の中では、これは夕食という意味です。

大人は夜6時半から8時くらいまでの間に夕食を済ませますから、子供とは一緒に食べないのです。

子供がもう少し大きくなれば、大人と一緒に夕食を食べて、もうちょっと遅くまで起きていることになるわけですが、小学校低学年ぐらいまではこのような調子の家が多いのです。

日本人や中国人の家だと、子供は親の生活習慣に合わせていますから、こんなに早く寝ないので、イギリス人やインド人、バングラデシュ人の親などに、子供が寝た後でディナーに行きましょうと言われて、ぎょっとすることがあります。彼らの中では子供は6時半とか7時までには寝ているのが前提だからです。

子供の安全はどうやって確認しているかというと監視カメラで見ています。ですからイギリスでは、赤ん坊や子供の監視をするカメラがよく売れています。

イギリスでも日本の昭和50年代（1970年代後半）ぐらいまではこういう習慣ではなく、子供はもうちょっと遅くまで起きていて、大人と一緒に夕食を食べるのが普通でした。ですので、昔の育てられ方をしたイギリスのお年寄りが、今の親のやり方を見て、ぎょっとしていることがあります。

もちろん昔も、大人が中心の生活スタイルが当たり前だったのですが、近年は共働きの家庭が多く、親自身も非常に多忙で、自分の生活を中心にしたいという親が増えているために、このように子供の生活を厳密にスケジューリングしているようです。これは日本人や中国人、韓国人の親など、東アジア系の人々がイギリスに引っ越してきて驚くことのひとつです。

欧州大陸の南の方に行きますと、子供は、特に夏になると、夜中まで起きていて、大人と一緒にレストランで食事をしていたり、祭りに繰り出していたりしますから、イギリスの親子とは随分と関係が異なります。また大陸では大人と子供は同席し、子供だけで食事をするとか、子供だけの閉じ込められた空間というものを作っていないので、どちらかというと日本の感覚に近い気がします。

青少年の犯罪率や離婚率は、日本よりもイギリスの方がはるかに高いわけですから、このような非常に早い時期に子供の生活をスケジューリングして厳しく掌握するというやり方は、子育ての方法として合理的なのかもしれませんが、子供の心理的な発達といったものを考えた場合に、どうなのかと考えることがあります。

また子供の普段のしつけや礼儀作法を見ていても、明らかにイギリスの子供は日本の子供よりも自己中心的で、親が子育てにあまり関与していないのがよくわかります。日本の有識者の中には、日本は子供と親の境界線がはっきりしておらず、曖昧になっていることをよろしくないと言う人もいるのですが、子供の情緒的な発達を考えると、それは良い点もあると思うのですが、いかがでしょうか。

子供の食育、なんぞそれ

子供が食べているものは、日本では「食育、食育」と言って大騒ぎすることを考えると驚くようなものばかりです。

イギリスのスーパーには、子供向けの冷凍食品や、パックになっている冷蔵のグラタンやパスタなどがあり、親はそれをチンして食べさせるだけということが結構あります。大人が家で食べているものも、冷凍のピザを焼いて、ビニール袋にパックされたサラダを出してつけただけとか、切っただけのきゅうりやニンジンという、ごく簡単なものです。

全く料理をしない親というのも少なくないので、イギリスではスーパーに巨大な冷凍食品のコーナーがあり、また「アイスランド」という、主に冷凍食品だけを取り扱うスーパーが大人気です。

そこで売っているものは、冷凍のフライドポテトや冷凍のパイ、冷凍の野菜、冷凍の米など何でもありで、それを家の巨大な冷凍庫に入れておいて、オーブンに入れて温めたり、チンするだけという家が非常に多いのです。テイクアウェイといって、家に配達してくれる食品を注文しまくる家もあります。

配達は一品千円くらいするので決して安くはないのですが、フィッシュアンドチップス、ピザ、ケバブ、カレー、パスタ、フライドチキンといったものや、イギリス式の中華を頼みます。生鮮野菜やサラダは少なく、揚げ物や肉、炭水化物だらけです。子供はそういったものを食べて育ちますので、小児肥満が大問題です。またイギリスは大人も欧州一肥満度が高く、成人の30％以上が日本の基準では高度な肥満です。

さらに子供は、朝に食べるものはコーンフレークやトーストだけといった簡素な朝食が多く、昼はチーズやハムだけを挟んだサンドイッチにポテトチップの小袋と果物のジュースといった、これまた非常に素朴というか、簡素な昼食を食べています。

学校によってはその場で調理された温かい給食が出ることもあるのですが、それも地域や学校によってまちまちで、全ての生徒がそういった手作りの手の込んだ給食を食べているわけではありません。

私立の学校で学費が高額なところは、小学生のうちからランチでナイフとフォークを使って鴨のコンフィなどを食べるようなメニューが出てくるわけですが、貧困地域や低所得家庭の生徒ばかりの学校では、生徒は毎日同じようなサンドイッチとポテトチップを食べて育つわけです。

ですから、実は、日本の小学校の給食の動画が海外では大人気なのですが、それは驚きを持って見ている人が多いのです。

一方でフランスやイタリア、スペインの場合は、食に関する比重がイギリスよりはるかに高いですから、きちんとした給食を食べていたりします。

休暇はサマーキャンプに放り込む

イギリスは共働きの家庭が多いですから、昼間の子供の面倒をどうするかということに頭を悩ませる親が多いです。

夏休みは、私立の学校だと7月の頭に始まり、公立だと少し遅くなりますが、いずれも8月いっぱいまでなので、欧州大陸やアメリカよりは若干短くなります。

その代わりにイギリスでは、11月、2月、3月に、長期休暇の合間にさらに1週間から2週間程度の短い休みが入ります。これは他の国にはあまりない休み方ですが、この間も親は働いていますから、子供の面倒を見る場所が必要になります。

祖父母の支援が受けられない人や家に専業主婦がいない場合は、子供をサッカーキャンプやサマーキャンプといった、一日中子守をしてくれるキャンプに放り込むことになります。費用は1日あたり5千円程度で、これを親は自分で支払わなければなりません。日本のように激安の学童保育のようなものはないのです。

休暇前の親達の最大の関心は、子供とどうやって休暇を過ごすかではなく、このようなキャンプが何日から始まり、毎日何時までやっていて、費用はいくらかということです。休暇の数週間から数日前までは、ネットのフォーラムで、どこのキャンプが良かったというような情報が山のように飛び交います。

休みの間に子供と特別な体験をしたいとか、何か思い出に残ることをしたいというような議論がなく、とにかく「子供をどうやってキャンプに放り込むか」ばかりが話題の中心です。まるで子供となるべく時間を過ごしたくないような親が多いような印象を受けます。

家によっては、クリスマスの前日やお正月の2日からこういったキャンプに子供を通わせ、休み中、全く家に居ないように仕向けたりすることがあります。

親が働いているので仕方ないという家もあるのですが、専業主婦で働いていないという人もそうなのです。

そういった家には、東欧出身の使用人がいたりするので、ならばその家の子供はわざわざこんなキャンプに行く必要はないと思うのですが、親はそこまでして子供を家に置きたくないようなのです。

日本だと、長期休暇は子供の体験の充実や、親との思い出作りといったようなことを気にかける人が多いのですが、どうもイギリスだとそうではないようなのです。

つまりイギリスの親は、自分のリラックスや生活の方を重視していて、子供はあまり重要視していないということなのではないでしょうか。

欧州の他の国だと、さすがにここまでは徹底しておらず、子供となるべく時間を過ごしたいという親もいますから、イギリスほどこういったキャンプは発達していないのでありますが、そういった国の場合は家族の関係が強く、子供の面倒は祖父母が見ているという国も少なくありません。

これは日本ではあまり報道されないことですが、欧米の子育てには想像以上に祖父母による支援が多いのです。

子供と遊ばない親達

子供をキャンプに放り込む親の姿に驚かされる日本人の親は少なくないのですが、さらに驚かされるのは、子供の遊び場や公園に行って一緒になって遊ぶ親が実に少ないことです。

日本ですと親も童心に帰って子供と一生懸命遊んだりするような人が多かったりするわけですが、イギリスで子供が遊ぶ様子を見ていると、親が親同士でずっとおしゃべりをしていたり、ずっとスマホを見たりしていて、子供と一緒になってワイワイ遊ぶ親はあまり多くありません。子供と親の生活を徹底的に分けたいのだなという印象を受けます。

私は日本でもみにろま君と一緒に子供の遊び場にも行きますが、子供と一緒になってワイワイ遊ぶ親が多いですね。都内のちょっとハイソな遊び場、工業地帯のマイルドヤンキー系の遊び場、ショッピングモールなどさまざまな場所に行きましたが、やはり日本の方が遊びに熱心な親が多い印象です。

イギリスの旅行家で、富裕層の人間だったイザベラ・バードは、開国直後の日本を旅し、都会から農村、アイヌの里までさまざまな場所を回って日本人を観察しました。その著書「イザベラ・バードの日本紀行」（講談社学術文庫）の中で、彼女は、日本人が子供を大変大切にしており、親は子供を始終おぶったりしてあやし、一緒になって遊んでいる姿に驚いています。

欧州では子供を「未完成な人間」として扱い、当時はムチなど、恐ろしく厳しい懲罰を加えたりと、あまり愛情を持って育てなかったからです。日本の親達が子供と一緒になって遊ぶ姿は、バードの見た明治時代の日本の光景と重なるところがあります。

日本の場合は、さらに中年の人でも子供の心を持っているというか、子供時代の趣味をそのまま続けている人も多く、プラモデル作りやアニメを見る、漫画を読むなどといったことも当たり前ですし、ゲームをやるのも当たり前です。ですから、子供ができるとその子と一緒に楽しむ人も少なくありません。

欧州だと、そういったことは子供のためのものといった考え方の人が少なくなく、大人が子供と一緒になって何かやっていると、非常に渋い目で見られることがあります。ですから子供と一緒にPokémon GOをやっているような大人がなかなかいないのです。こういった様子は日本の感覚からすると、むしろ不思議な感じがするかもしれません。

タイガーマザーが非難されない社会

日本では、昭和の時代には受験戦争という言葉があり、子供が今よりもはるかに多かったこともあって、受験勉強や習い事に邁進する家庭が非常に多かったわけですが、最近は少子化で大学受験もだいぶ楽になってきたこともあり、昔ほどは熱心に勉強、勉強と受験準備をやらない家が多いように思います。

ゆとり教育の導入で、学校の教育もだいぶのんびりしたものになりましたし、私の子供の頃と比べると今の学校というのは非常に柔軟性があり、勉強している内容もずいぶん簡単になったなぁという印象です。

私が子供の頃から日本では、有識者やテレビに出て教育を語る人々は、日本の学校というのは勉強ばかりで、北米や欧州のようにゆとりがない、創造性を重視していないというようなことを、ずっと繰り返していました。今でもそれを言っている人もいるようなのですが、ここ最近の子供の学習をめぐる状況というのは彼らが主張していたことと大きく異なっています。

少し前までゆとり教育が中心となっていた日本の教育とは異なり、実は、北米や欧州北部の教育熱心な層というのはむしろ逆行しており、日本の受験戦争が激しかった頃よりもさらに厳しい勉強を子供に求めるのです。

これも日本ではあまり報道されていないことなのですが、こういった国々で進学の上位に位置づけられる学校というのは、勉強の密度も進み方も日本の私立の上位校並みに厳しく、親も熱心ですから、子供も非常に厳しく勉強するように教育されています。

さらにこういった国々には、新興国から教育熱心な親たちが移民してきているのです。教育のために移民する人も大勢いますから、彼らは中国やインド、ロシアといった国の教育感覚で、子供たちに競争と勉強を仕込んでいます。その競争の激しさというのは、日本の昭和時代などをはるかにしのぐ状況なのです。

子供には自分の好きなことをやる選択肢等を与えず、とにかく将来専門職になり、高い報酬を得られる職業につけるように、徹底的に詰め込みの教育を行います。

また、大学入試で課外活動が評価されるため、その際、有利になるように、楽器の演奏やスポーツなども徹底的にやらせ、日本人の感覚からするとまさにスポ根状態で子供を育てます。

日本のような感覚でゆとり教育をやっているのは、北米や欧州でも親に資産がある程度あって、子供は社会的階層をかけ上がらなくても済むような人々です。日本のメディアの人々は、接触をするのがそういう階層の人が多いので誤解をしている人が多いのです。

教育熱心な親たちが批判されるかというとそういったことはなく、あくまで個人主義の社会ですから、自分の好きなようにやればいいという感覚です。またそれが社会問題として議論されることはありません。

社会の格差が凄まじいですから、全く勉強しない階層や学習に興味がない親と、このように凄まじく激しい勉強をさせる親たちとの格差というのが大きく、何が全体として最適かという解答がないのです。

10代でドラッグを覚える中流階級の子供達

このように非常に教育熱心な親たちがいる一方で、イギリスや北米そして欧州北部の場合は非常に放任主義の親もいます。

その象徴的なことのひとつが、子供にお金を与えて放置してしまう親の存在です。子供は親から小さいうちに信託財産を受け取ったり、毎月数万円分の現金をお小遣いとして受け取ります。それで何をするかというと、中学生くらいの頃からクラブに入り浸ってドラッグをやるのです。

これはイギリスでは重大な問題になっており、違法薬物の使用というのがどんどん低年齢化しているのです。

この違法薬物というのは大麻や危険ドラッグではありません。ＬＳＤやヘロインや覚せい剤です。

イギリスの場合は欧州一の麻薬大国ですから、そういった薬物が街中に溢れており、クラブや盛り場で簡単に入手することが可能です。

日本のように大麻や危険ドラッグで大騒ぎされるような社会とは危険度のレベルが全

く異なるのです。

非常に注意深い親の場合は、子供がかなり大きくなるまでは盛り場やクラブに行くことを許しませんし、門限も厳しいです。子供を薬物からどうやって守るかということは非常に頭の痛い問題ですから仕方がありません。

業者の中にはこういう薬物をビタミン剤やラムネのような形に加工して無料で配布して依存症にさせる人々もいますから、知らぬうちに薬物に手を出してしまうという子供もいるのです。

路上に若いホームレスが溢れている理由

イギリスにおいて、親と子供の距離感を示す象徴的なことのひとつに、路上に若いホームレスの人が溢れているということがあります。

日本だとホームレスの方々には中年以上の男性が多いのですが、イギリスを始め、欧州だと20代ぐらいの若い人が少なくありません。

なぜ若い子がホームレスになってしまうかというと、親が子供たちを自分の家から追い出してしまうからです。

追い出す理由は、自分が薬物依存症やアルコール依存症だったり、子供が薬物依存症だったり暴力を振るうというようなこと、また親が再婚して子供が邪魔になるので家から追い出してしまうといったようなことです。

早い子の場合は14歳とか15歳で家を追い出されてしまいます。まだ子供でお金を稼ぐ手段はないわけですから、住む場所もありません。仕方なくホームレスになってしまうというわけです。

また薬物依存症の若者の場合は家を飛び出してしまい、そのまま路上で物乞いをして薬物を入手して暮らしているという人もいます。

日本の感覚だと親が子供を家から追い出すというのはよく理解できないのですが、イギリスでは割とよくあることで、これは社会問題のひとつとして政府でも認識されています。

ですから、こういった若いホームレスの人々を支援するための非営利団体があり、そういった団体のチラシが街中の壁に貼ってあったり、図書館にさりげなく置いてあったりします。

私はそういったチラシを初めて目にしたのは図書館だったのですが、「若い人も躊躇(ちゅうちょ)

しないで相談に来てください」ということが書いてあるのです。ホームレスというと日本だとある程度歳をとった人のイメージなので、非常に驚いたのを覚えています。また街中で観察をしておりますと、確かにホームレスには若い人が多いのです。見るからに薬物依存症の人が少なくなく、初めて見た日本人は大変なショックを受けるようです。

このような若いホームレスの人が存在するということは、イギリスや欧州北部の社会というのが、日本とはずいぶん違うということを象徴していると感じます。

みにろま君と
ひと休み

・日本人はなんで紅茶を飲んでいるの？

みにろま君は「おしりたんてい」のアニメや本が大好きです。最近日本では子供に大人気の作品です。

「おしりたんてい」は探偵業を営んでいるキャラクターで、人の困りごとを、紳士的な態度で解決するというナイスガイです。

そして悪い奴がいると顔からおならを発射してやっつけてしまいます。彼の顔はおしりなのです。

います。

ところがこのキャラクター、外国の子供から見ると非常に不思議なことに溢れて

みにろま君「マミー、『おしりたんてい』は『スイートポテト』というものが好きなんだよね。でもこの『スイートポテト』はケーキみたいな形をしてるんだよ。『スイートポテイトウ』はこんな形はしていないし、色も違うよね。なぜ彼はケーキのことを『スイートポテト』と呼んでいるの？」

「彼は『スイートポテト』を食べる時にコウチャを一緒に飲んでいるんだけど、このコウチャというのはイングリッシュティーのこと？　どうして彼は『スイートポテト』と一緒にイングリッシュティーを飲まなければならないの？　だって日本にだってティーはあるでしょう。日本人はグリーンティーを飲むんだよ。日本にはグリーンティーがあるのにどうして日本にいる『おしりたんてい』がイングランドのティーを飲めるの？」

「彼はどうやってイングリッシュティーを買うの？　それに彼は日本の人なのにどうしてケーキみたいなものを食べてイングリッシュティーを飲んでいるの？　なぜ『どら焼き』を食べていないの？　そして彼はディテクティブ（探偵）だよね。普通ディテクティブはケーキを食べながらティーは飲まないんだよ。なぜならディテ

クティブはいつもクリミナル（犯罪者）と戦っていてそんな暇はないんだよ。いつもテレビで見るディテクティブと違うよ。どうして日本のディテクティブはケーキを食べてティーを飲む時間があるの？」

日本人の場合、まず探偵というと、思い浮かぶのがシャーロック・ホームズですよね。寡黙で紳士的、事務所では椅子に座りながら紅茶を片手にスイーツを楽しむというイメージがぴったりです。

ところが英語圏の場合、最近ではシャーロック・ホームズは、ベネディクト・カンバーバッチ主演の、リメイク版の「シャーロック」というドラマや、アメリカでリメイクされた「エレメンタリー」というドラマの中の、大変モダンな設定です。新生シャーロック・ホームズは、モダンでおしゃれなインテリアの部屋に住んで、体にフィットした今風のスーツを着こなすイケメンです。

相手にするのは凶悪犯罪者ですから、紅茶を片手にスイーツを楽しむ暇はなく、銃を片手に格闘しなければなりません。そして、現代に蘇ったシャーロック・ホームズが親しんでいるのはスターバックスのコーヒーです。

したがって英語圏の子供の探偵のイメージはというと、日本人が思い浮かべるような「優雅な紳士のイメージ」がないのです。

これでよくわかることは、子供向けのお話であっても、暗黙知＝常識、が前提になっているということです。「お約束」になっている前提がわからないとキャラクターの設定やお話がよくわからないのですね。そして、その「お約束」が、「探偵」のような「記号」であっても、社会によって随分違うということです。

さらに面白いのが、みにろま君は「日本にはグリーンティーがあるのになぜ日本人がわざわざイングリッシュティーを飲んでいるか」と質問している点です。

彼はテレビで、お茶というものがもともと東アジアで作られていて、日本には緑茶があって、緑茶のシーズンには茶摘みが行われているということを知っています。ＮＨＫワールドＪＡＰＡＮで茶所のドキュメンタリーをよく流しているからなんです。

ですから彼の頭の中では

「日本にはたくさんティーがあるからわざわざイングランドからコウチャを持ってきて飲む必要ないだろう」

ということになるわけですね。

確かにそう言われてみれば不思議なもので、なぜもともと原産地の人が、イングリッシュティーを飲むのか。

彼の謎を解くには、17世紀に西洋人が中国や日本にやってきて、日本人や中国人から茶を飲む習慣を学び、貴族の奥さん達がお茶を飲む習慣を「おしゃれなもの」として真似し始め、最初は緑茶を飲んでいたんだけれども、一説には輸送の途中に茶が発酵して紅茶になってしまった。

それがオランダからイングランドに伝わって、労働者階級をもっと生産的にするためにお茶を飲ませるようになり、インドでも作り始めたんだ、というお茶にまつわる世界の歴史を紹介しなければなりません。

さらに、日本ではそのイングリッシュティーが逆輸入されて「おしゃれな西洋の飲み物」となったということも説明しなければなりませんので、お茶ひとつをとっても歴史の授業になってしまうわけです。

さらにスイートポテトとは一体何かということを説明するのは、非常に困難であります。

なぜなら英語では、サツマイモのことを「スイートポテト」と呼びますから、「スイートポテトを加工したものがケーキの形をしていてスイートポテトと呼ばれる」というのが、まず謎になってしまうわけです。

例えばこれを日本語に置き直してみるとわかりやすいでしょう。

「オコメ」と呼ばれるスイーツがあって、材料が「お米」なんだから加工したものを「オコメ」と言うのはおかしいじゃないか、ということになるわけですね。

「スイートポテト」の謎を解くには、日本では「スイートポテト」は「サツマイモ」と言われ、それを加工して作ったデザートが「スイートポテト」と呼ばれて、外来語なので「カタカナ」で表現される、ということを説明しなければならないわけです。

さらにもう一つの暗黙知があります。

日本人であれば「西洋風のスイーツには紅茶をつける」というのが当たり前なわけですが、日本で育っていないと、これが「前提」にならないわけです。なぜグリーンティーではないのか？　外国の人なら疑問に思います。

つまり幼児向けのお話である「おしりたんてい」一つをとっても、実はこれだけたくさんの「暗黙知」「前提条件」が含まれていて、日本人は幼児であっても、それらを自動的に理解してお話を楽しんでいるわけです。

実は「お話を理解する」というのは、すごく知的な活動で、前提条件の蓄積が必要だ、ということですね。

第4章
コロナで暴かれた海外の現実

くり返しアナウンス致します
COVID-19感染対策のためマスク着用をお願いします
ガッ
ギャー
ブル
ブル
ブル
ギャー
ガッ
みにろまくん
走って!!
ママ
こわい…
脱兎!!

コロナで暴かれた格差社会の凄惨さ

欧州と日本をめぐる社会の違いは2020年に始まったコロナ禍でも浮き彫りにされました。意外ではありますがこのコロナをめぐる各国の状況というのは、実は教育問題やそれらの社会のあり方、子供の育ち方にも深く関係しています。

まず初めにこのコロナ禍ではっきりしたのが、日本とその他の先進国の格差の拡がりの違いです。

日本の場合はコロナに感染する人々や死亡する人々の社会的な所属階級の違いというのがあまりクローズアップされることがなく、統計上でもはっきりと目立ちません。そもそも階級が死亡率や感染率に関係する、ということが話題にすらなりません。

一方で、北米や欧州の場合は、感染者や死亡者は所得の低い人や社会階層の低い人が多く、その差が歴然としているのが明らかになりました。

イギリスだけではなく北米やオセアニアでもコロナ感染や死亡の話をする時にとにかく最初に話題になることが職業別、経済レベル別、人種別、地域別のデータなのです。それを前提として話が進むわけです。

例えばイギリスの場合は、経済的に貧しく人種的に多様な地域ほど死亡率と感染率が高くなっています。ロンドンの場合はこれが本当にはっきりしていて、犯罪率、不動産価格の低さ、収入の中央値の低さと感染率・死亡率が見事にリンクしていました。

経済的に貧しく人種的に多様な地域は、混み合った建物の中に大勢の家族で住んでいる人が多く、またコロナ禍の最中に在宅勤務することができず、対面の仕事をこなすために出勤をしている人が多かったために、どうしても感染する人が多かったのです。そしてそういった地域に住んでいる人は、少なからず有色人種です。またこのような地域の人々は高血圧や糖尿病など既往症を抱えていることも多いため、コロナ禍での死亡率が高くなりがちです。

北米や欧州でなぜ所得の低い人や社会階層の低い人が死亡したり、感染したりする割合が高いかというと、彼らは人と接触する仕事をしていることが多く、また出勤を避けられないために、どうしても物理的に自分を隔離することができないからです。

日本のメディアですと、北米や欧州の働く人々はまるでその多くが在宅勤務をする知識産業に関わっているような印象を受けますが、実は働く人の大半は小売りや製造業などの昔ながらの産業に関わっていて、コロナ禍のピークにおいても在宅勤務ができていた人というのは、働く人全体の数％から10％程度にしか満たないのです。小売業の場合、在宅勤務が可能な人が1％に満たないということもあります。

日本は他の国に比べて死亡者や感染者が少なかったために、このような格差が浮き彫りになることがあまりありませんでしたが、他の国ではこのように明らかになってしまいました。

教育格差とコロナ

教育的な格差が大きいために防疫の意味や理由を理解できない人も少なくありません。

日本と異なり公教育で衛生習慣を徹底的に教えるようにはなっておらず、それは各家庭の責任なので、日本のように食事の前に手を洗うとか、住居や教室を徹底的に掃除するという習慣がないのです。

日本だと公教育は日本全国一律で、みんな同じように生活習慣やアカデミックな知識を教えるべきだという考え方が強いのでありますが、他の国はそのような考え方が非常に薄いのです。

特に市場経済主義のアメリカやイギリスは、40年ほど前に比べると、教育は「個人の努力義務だ」という考え方が強く、公教育でなんでも面倒を見ようという意識が、日本に比べると大変薄いのです。

ですから生活習慣や公衆衛生に関することは家庭の責任で、学校ではいちいち教えません。子供の健康状態が悪くても病気になっても、それは家庭が原因とされます。子供が何を家で食べているのかといったことを担任の先生が気にするようなこともありません。それはあくまで個人の責任だからです。

日本のように社会民主主義的な考え方が強く、公教育をアメリカやイギリスよりも重視している大陸欧州でも、その辺は実は似ています。

私生活に関することはあくまで家庭の責任であって、学校は勉強を教えるところ。私的な部分は各家庭で何とかしてくださいという考え方です。ですから日本に比べますと生活習慣や衛生に関することを教える量も頻度も低いのです。

なぜ日本のようにやらないのかと思う方もいるかもしれませんが、これはもう哲学レベルでの考え方の違いですからどうしようもありません。

生活習慣に関することや公衆衛生に関することが、全国一律で同じように教えられておらず、親の教育レベルや生活習慣の差がモロに子供に反映してしまうことになるのです。

私は、このような社会における格差が、感染率や死亡率が非常に高かった国での根本的原因の一つだと考えています。

コロナ禍は教育の問題

北米や欧州は日本とは考え方が違いますから、このような教育の問題を公衆衛生の問題として話し合おうという動きすらありません。むしろ北米や欧州の場合は、最初から「一般人に何を教えても無駄だ」という風に諦めきっているような印象も受けます。議論にすらならないのでありますから、現在の教育の問題を指摘するような人もいないのです。

根本的な考え方が全く違いますから、日本や台湾で行っているような公衆衛生の教育や訓練を紹介しても耳を傾ける人がいません。東アジアの場合は北米や欧州に追いつけ追い越せという考え方があり、海外の進んだやり方や違う方法を学んで自分の国を高めていこうという考え方があるわけですが、北米や欧州の国々の場合は自分の国が一番と考えている人が非常に多いために、他の国の事例を一生懸命学んで真似をしようとか、自分の国を高めようという考え方の方が珍しいのです。

これは日本と他の国で政策立案に関わると非常によくわかることです。例えば日本の場合は官僚が何か政策を考える場合には、まず海外のさまざまな事例の調査というのを行います。類似するような事例があればそれを研究しますし、何か革新的なことがあればそこから何かを学ぼうということで、一生懸命現地調査を行うわけです。そういった調査に協力するのが私のようなコンサルタントやシンクタンクの人々です。

ところがアメリカや欧州でそういった政策立案を見ておりますと、まず海外事例をいちいち調べて検証するという作業をやりません。いきなりこの案はどうだと考えて提案し、議論をして決めてしまいます。他の国はどうなのか、周囲の人々はどう考えるのかを一生懸命調べて、コツコツと長い時間をかけて検証していく日本とはやり方が違います。

もちろんスピードやオリジナリティに関してはアメリカや欧州の方が良いという部分もあるのですが、日本のように、他で既に成功している事例を元にして、それをさらに高めていくというやり方は効率が良いところもあります。どちらのやり方にも長所と短所があります。

コロナに関しては、この、哲学の違い、考え方の違いがモロに出てしまったように思います。台湾や香港はＳＡＲＳの蔓延を経験しており、コロナに関しても防疫対策が整っていました。さらに北米や欧州に比べると熱帯の気候ですから、普段から感染症や風邪に対して非常に気を使う地域です。

マスクの効果に関してもこれまでさまざまな研究機関がコンピューターを使用して研究を行ってきたので実証的な結果が出ているわけですが、コロナ禍の初期において北米や欧州はそのような防疫のノウハウやマスクの効果の実証を無視し、全く活用しませんでした。

メディアではほんの少し紹介される程度で、こういった国々の経験を活用しようという動きがなかったのです。日本のメディアでは他の国ではどうやっているかといった情報がたくさん流れていたのに対し、北米や欧州ではほぼ他の国は無視に近い状態でありましたから、これは日本人の感覚からすると驚くべきことでしょう。

コロナ蔓延と多民族国家の問題

北米や欧州は多民族国家が少なくありませんから、地元の言葉がわからない外国人がかなりいます。

彼らは防疫や感染防止に関する情報を得ることができないので、どうしても感染リスクが高くなってしまうのです。

アメリカやイギリスはそれでも主要な移民グループの言葉で感染予防情報や治療に関する情報を配布してはいるのですが、チラシが十分に行き渡らなかったり、インターネットを使えない人も多いので、正しい情報にアクセスできない人が出てきてしまいます。

さらにイギリスやアメリカでワクチン接種が始まってから大問題となったのが、こういった移民コミュニティの間で拡散したワクチン危険論です。

医学的な情報に基づかない口コミの情報が広まって、ワクチン接種を拒否する人が大量に出てしまいました。ですからイギリスの場合は西アジアや南アジア、カリブ海系、アフリカ系のコミュニティでワクチン接種を拒否する人がかなり出てしまい、彼らの住むコミュニティではコロナワクチンの接種率が著しく低くなってしまうという状況が発生してしまいました。

ワクチン接種率にも人種別の格差が生まれてしまったのです。接種を法律で強制することができませんので、それらの国では政府は頭を悩ませました。

政府がいくら正しい情報をテレビや新聞、雑誌などで流しても、彼らはコミュニティの中の口コミの情報に頼ってしまいますからどうしようもありません。

さらに発展途上国から来ている人々の場合は母国で基礎的な公衆衛生の教育を受けていませんから、やはり感染してしまいます。

多くの発展途上国ではごく基本的な衛生環境が整っていないことが多く、例えばトイレはないので穴を掘って済ませている地域が未だにたくさんあります。そういった地域では当然水道もありませんから、川や池の水を使って生活をしています。コロナの予防のために手洗い、うがいをしてくださいと言っても、もともと手を洗うような習慣がないから理解ができないわけです。

もちろんハンドソープを使うような習慣もありません。人々の習慣を変えるということは思った以上に大変なことで、いくら説得をしても今まで平気だったからということで、やり方を変える人は多くはないのです。

さらにそういった国から来ている人々は言葉が通じないことも少なくないために、コミュニケーションをとるだけでも大変です。北米や欧州北部にはそういった地域から来ている難民の人々や移民の人々が大量にいますから、日本では想像できないような防疫と公衆衛生の課題が存在しているのです。

日本のファクターエックスと教育

日本では感染率が低く死亡者も少ないことがファクターエックスとして散々議論されてきましたが、これは、日本は他の先進国に比べると非常に均質的な社会で、公教育も充実しており、そこで公衆衛生に関することを十分に教えているので、国全体としてもともと防疫の体制があったということです。

これは日本の学校では実は明治時代に大規模な学校教育が始まった頃にさかのぼります。農村から不特定多数の子供が大勢集まったために、学校が感染症の媒介の場となってしまったのです。

それまでは人が大勢集まる機会は市場や村祭り程度だったのですが、多数の子供が一ヵ所に毎日のように集まることで、ウイルスを媒介する機会が増えてしまったのです。これはコロナ禍で集会が禁止されたり、ソーシャルディスタンシングが徹底されたことからもわかりますね。当時は今ほど予防接種や薬が発達しておらず、感染症が蔓延してしまいました。

教員はその状況を見て、何とか改善しようと一生懸命努力をし、現場の状況を国に訴え、国を挙げて公衆衛生の教育を行ってきたのです。

またこれは富国強兵を掲げる日本の国家戦略として非常に重要なことでありました。人々が病気になってしまっては生産ができません。兵士が病気では戦争でも勝てません。健康管理は国家としての重要課題のひとつであったのです。

ですから日本では、その頃の名残として学校では毎年のように健康診断があります。例えば日本の学校で最近までは座高を測る項目がありましたが、これはかつて日本で新兵検査を行っていた時にやっていた健康診断の影響です。

学校でやるような簡単な健康診断の項目も、実は他の先進国だと自分でお金を払ってやるほかなく、その費用は5万~10万円かかるようなメニューなのです。日本だとさらに健康診断で医師の診断を受けることもできたりしますよね。これは他の国からすると驚くべきことです。それを無料で受けられるのですから、日本の学校の生徒というのは本当に恵まれているのです。

学校の廊下や入り口には手洗い場があったりします。これも他の国ではほとんど見られない建物の仕様ですが、実は軍隊の営舎や工場の作りが元になっています。軍隊でも工場でも兵士や作業員が手足を綺麗にしておかないときちっと作業ができないことがありますから、衛生には気を使います。

これは実際に海外で現地の工場や企業の運営に関与してきた方であれば非常によくわかるのではないでしょうか。

日本だと働く人は当たり前のように作業前に手を洗ったり自分の身の回りの物をきちっと整理をしたりするわけですが、他の国ではそのような習慣がなかったりしますから、製造を開始する前にまずはそういった基礎的なことを徹底的に訓練しなければなりません。なぜやらなければいけないかということから教えなければいけませんから大変な労力が必要です。

ところが学校ですとそこまで厳密にしなくても勉強には関係がありませんから、そのような設備がない国の方が当たり前なのです。日本の政府は学校教育を良い兵士や生産者を育成するための場と考え、そのような設備を標準化したのでしょう。それがコロナ禍にあって絶大な効果を及ぼしたというのは驚くべきことですね。

日本の各学校には保健室があって養護教諭がいます。このように保健室や養護教諭がきちんと整っていて法律で規定されているような国は、実はほとんどありません。

手洗いやうがいを習慣づけることもごく当たり前の活動ですね。しかし他の先進国では、日本ではこのように当たり前に存在している活動を全くやっていないのです。私は海外に来てから日本の学校で当たり前にあったことが存在しないことに気がつき、非常に驚きました。

マスクを無視するイギリスの子供達

このように公衆衛生に関して学校では教えませんので、その意識に関しては各家庭の対応や教育レベルが子供に反映してしまいます。

それがはっきりとわかったのはイギリスの子供達のコロナ禍における態度です。

日本では子供でもきっちりとマスクをつけて手洗いをし、建物に入る前も手を消毒するようなことが全く珍しくないわけですが、イギリスの場合、法律でマスク着用が義務づけられていた電車やバスの中でも、ルールを無視してマスクを着用せずにしゃべりまくる中高生や、手の消毒を無視する子供が大量にいました。

特にひどかったのが学校の通学に使用される公共のバスです。

私はコロナ禍の最中は外出を極力控えていましたが、家人が帰って来るまでに外出しなければならない日や、みにろま君の学校の送り迎えをバスでしなければならない日がありました。

そこで非常に驚かされたのは、マスクを全くつけないで大騒ぎしている小中高生達でした。同乗している大人たちも怖くて誰も注意ができないのです。既往症を抱えたふうに見える中年の方や高齢者は、当然非常に不快な表情でしたし、恐怖を感じていた人もいるでしょう。

しかしイギリスは、青少年は体が非常に大きく、大人に対して暴力を振るう子供も珍しくありませんから、こういう公共の場で注意をすることは大変危険なことなのです。

小学生の場合、年齢が低ければマスクをしなくても構わないことになっていましたが、年齢が上の子の場合は義務化されていました。ところが子供達はそんなことはお構いなしでバスの中で大騒ぎをし、ベラベラとしゃべりまくっていました。

バスの運転手はコロナに感染して死亡する人も出ていたので、大変恐ろしかったと思います。運転手さんは何回も、録音されたテープでマスクを着用してくださいと注意をしていたのにもかかわらず誰も聞かないのです。ロンドン交通局はコロナの防疫に関するガイドラインが緩く、コロナの初期には運転手さんにマスクを着用することを禁止していたのです。そのために死亡した運転手さんの家族が訴訟を起こしている例もあります。

また学校の送り迎え以外のバスの様子を外から眺めていても、若い人だけではなく、多くの人がマスク着用義務を全く無視していました。私は何回か送り迎えのためにバスに乗りましたが、このような体験をして恐怖を感じたのでその後バスに乗ることを一切止めました。

こういった子供達に対して家庭ではマスクをつけるという教育をしていないのでしょう。イギリスで感染者数が爆発し、死亡者も膨大だったのは当たり前です。

このような例からも、イギリスの多くの家庭では子供に対して公衆衛生に関することをきちっと教育しておらず、また公共の場で他人を守りましょうとかルールに従おうということを厳しく指導していない家庭が多いことがわかるのではないでしょうか。

学校が託児所状態な欧州

イギリスではコロナで膨大な感染者が出ており、死亡者もどんどん増えていた時期に学校が閉鎖されていましたが、それに関して多くの親達がカンカンになって怒っていました。

学校を早く開けろと要求する人が大変多かったのです。彼らが怒っていたのは学校の防疫対策にではなく、学校を閉鎖したということに対してでした。

なぜ学校閉鎖に怒るかというと、彼らは学校を託児所として使っているからです。多くの家庭は共働きですから、子供が学校に行かなければ仕事に行くことができません。在宅勤務の親や専業主婦の家庭もありました。しかしそういった人々でさえも学校が閉鎖されたことに怒って学校に対して早く再開しろという交渉をするような人もいたのです。彼らの中ではコロナの恐ろしさや防疫対策の基本といったことの重要度がかなり低く、いかに子供を学校に預けるかといったことの方が興味の中心だったわけです。

働きに行かなければ経済的に苦しいんだから仕方ないでしょう、と思う方もいるかもしれませんが、生命より重要なものは世の中に存在しません。もしもある程度良識のある家であれば、お金よりもまずは家族の生命の安全を重視するでしょう。さらにイギリスは、雇用されている人の場合は、政府から雇用補償金が出ていましたから、そういったお金を受け取っている家庭もたくさんあったのです。それでも子供を学校に行かせるべきだと言っていたわけですから、コロナをあまりにも軽く見ていたというほかありません。

暴力を振るわれる東アジア人

最近の日本で私の気になることのひとつが、日本では外国人の権利が守られていないという主張です。

実は、日本は、先進国だけではなく世界全体で見ても外国人が最も安全に暮らせる国のひとつです。ところがそうだということは、日本では知られていません。

この事実を象徴するのが、コロナ禍での日本における外国人への暴力事件や差別事件の少なさです。

アメリカでもイギリスでも、昨年3月からコロナを理由とする東アジア人への差別が急増しています。

例えばイギリスの場合、昨年3月の時点で中国系の女子学生やシンガポール人の若い男性、マレーシア出身の中華系の男性が通りすがりの男たちに暴行を加えられ、顔は誰か判別がつかないほど変形するような大怪我を負っています。なんと顔の形が完全に変わってしまうほどの殴打や入院するレベルの暴力を振るわれたのです。被害者は屈強な男性ではなく、スリムな感じの若い男性や小柄な女性です。

このような「暴行」がターミナル駅やバスの中で昼間に起きているのですが、周囲の人は誰も助けません。自分が事件に巻き込まれたくないので、暴行されている人を助けないのです。

実は北米や欧州では、路上で誰かが危害を加えられていても手助けする人は多くありません。暴力を振るっている人が麻薬依存症だったり、武器を持っていることがあるからです。また、見知らぬ人を助けて事件に巻き込まれてしまうと、被害者から訴えられることがあるのです。これは実は北米や欧州だけではなく、台湾や中国大陸でも同じです。交通事故でも被害者を助けない人が非常に多いのです。日本ではあまり報道されることがない、海外の容赦なき実態です。

さらに東アジア人に対する暴行は、イギリスではメディアでほとんど報道されなかったのです。市内や郡内の新聞でさらっと触れたり、ネットでちょろっと扱われただけでした。BBCも夕方のローカルニュースで数秒触れただけで、特にキャンペーンをやったわけでも特集報道をやったわけでもありません。アフリカ系に対する反差別キャンペーンに比べ、実にさっぱりとした扱いです。当然政府もスルーで、東アジア系に対する差別反対を訴えるわけでも、治安悪化に対する懸念を伝えたわけでもありませんでした。つまり「存在しなかったこと」になっていたのです。

日本のメディアが伝える「人権先進国の欧州」の実態はこんなものです。

アメリカでは東アジア系のコミュニティがある主要16都市で、昨年、東アジア系住民に対するヘイトクライム（憎悪犯罪）が前年の2・5倍に激増しました。しかし東アジア系は届け出ないことが多いため、実際の数ははるかに多いと言われています。

ニューヨークでは日本人のジャズピアニストがハーレムで黒人の若者に襲われて再起不能となっています。フィリピン人女性はマンハッタンのホテル前で昼間に黒人の男から暴行されましたが、目の前にいたホテルの警備員は助けませんでした。

サンフランシスコでは70代と80代の中華系とベトナム系の老人が黒人の男に襲われ大怪我を負い、84歳男性が死亡しています。

２０２1年2月にはロサンゼルスにある東本願寺別院の建築物が破壊・放火され、リトルトーキョーの桜の木が破壊されています。

さらにアトランタでは東アジア系の人々が働くマッサージ店が銃撃され、8名が亡くなっていますが、メディアでは容疑者は性的、精神的な問題を抱えていたのが動機で、これは人種差別とは関係ないという主張が繰り返されました。アメリカではマッサージ店の店員の多くが東アジア系の女性で、「マッサージ店（英語ではマッサージパーラー）といえば東アジア人女性」というイメージが一般的なのにもかかわらずです。

東アジア人に対する差別が暴力事件に発展しているにもかかわらず、これらの国でアフリカ系差別反対運動を行っていた人々は、アジア系の保護には立ち上がりませんでした。東アジア人を守ろう、連帯しようという気はサラサラないのです。

一方でコロナ禍の中、アフリカ系は路上で殴打されたわけでも、大量銃撃の犠牲になったわけでもありませんし、学校で「コロナ」と叫ばれたわけでもないのです。

東アジア人は、アメリカでもイギリスでも、最も高学歴で収入も多い人の割合が高いグループです。主流層の白人をはるかにしのいでいるのです。犯罪率も最も低く「模範的な移民グループ」なのですが、このようなひどい差別に対して支援してくれる人々はいないのが実態です。人種差別にも明確な「格差」があるわけです。

アメリカだけではなく先進国では、人種的な少数派は連帯するどころかお互い対立しており、学術的、経済的に成功している勤勉な東アジア系は妬まれて、攻撃の標的にされることが少なくないのです。

これは学校でも同じで、東アジア系の子供の振る舞いや成績に関係しています。

アメリカ、カナダ、イギリスでは、東アジア系の子供というのは一般的に非常に成績が良く課外活動にも熱心なため、成績上位層を占めることが多いのです。

例えばイギリスの勉強熱心な進学校を見ますと、国内の人口比では大変数が少ない東アジア系の子供が、その学校の10％から20％の生徒数を占めることが珍しくありません。

イギリスの総人口比における中国系の住民はたったの0・7％で、その他のアジア系と自称する人は1・4％なのです。イギリスでは85％の中国系生徒は高校卒業後も教育を受け、その多くは大学に進学していると考えられます。彼らがイギリスの大学入試全国統一試験（Aレベルと呼びます）でトップレベル大学に入学する成績を取る確率は、白人の2・1倍、インドやパキスタン系の2・4倍、アフリカ系の4・8倍で、全人種グループのトップです。(https://www.thesun.co.uk/news/4654385/chinese-british-pupils-dominate-schools-as-they-are-twice-as-likely-to-get-top-a-levels-as-other-kids/)

アメリカの場合、教育格差をなくし、社会的な階層をシャッフルするために、アファーマティブアクションと言って、大学入試において人種的少数派のグループの成績を底上げするという仕組みが存在します。

ところが中国系及びその他の東アジア系は、アメリカでは立派な人種的な少数派になるのにもかかわらず、アファーマティブアクションが適用されないとされる例が増えているのです。

そしてこのようなケースが裁判沙汰になる例が出てきています。例えばアメリカではハーバード大学やイェール大学が、入学者を人種で選んでおり、入試の点数が高い東アジア人を意図的に排除しているとして、「公平な大学入試に反している」と訴訟を起こされています。(https://www.prnewswire.com/news-releases/students-for-fair-admissions-files-petition-for-certiorari-to-us-supreme-court-to-end-race-based-admissions-at-harvard-and-all-colleges-and-universities-301235866.html)

東アジア人の大学入学条件を厳しくして排除することは、1920年代にアメリカの大学が学業成績では他の人種グループをはるかに上回っていたユダヤ人の入学条件を厳しくして差別していたことと同じだ、これは合法なふりをした「差別」であり、「東アジア人に対する罰だ」という意見もあります。(https://direct.mit.edu/daed/article/150/2/180/98321/Asian-Americans-Affirmative-Action-amp-the-Rise-in)

コロナ禍でも暴力が皆無な日本の特異性

日本ではコロナ禍で北米や欧州で起きたような東アジア人に対する暴力事件は起こっていません。感染者や中国人がいきなり殴られるとか殺されるような事件は起きていません。さらに外国人やその他のマイノリティー同士が対立して暴動に発展するようなことも起きていません。少数派の外国人が、主流派の日本人のストレスのはけ口として襲撃されることもありません。

他の国では、東アジア系の親達は子供が暴力を振るわれないかどうか毎日ビクビクして暮らしているというのに、日本の平和さは実に信じられないレベルなのです。

日本には中国人が数多く住んでいるにもかかわらずです。中国人も他の東アジア人も、他の国では大変な差別を受けているのです。襲撃されないどころか、路上で差別的なことを言われたというモラルハザードすら起きていません。

このような現実に対して、日本の左翼の人々や、いわゆる海外出羽守、つまり「海外は素晴らしい」と持ち上げてばかりの人々は、それでもまだ日本は外国人差別がひどく、彼らが暮らしにくいところだと言い続けるのでしょうか？

人間にとって身の安全ほど重要なものはありません。特にお子さんを持つ親御さんなら尚更そう感じるでしょう。

もちろん日本は島国の「村」社会で、外国人は非常に少ないので、事実、まだまだ昔からの外国人差別はあるわけですが、日本の路上では、コロナ禍でイライラした人が多い中でさえ、外国人がいきなり殴打されたり刺殺されるような事件はないのです。

募金に頼らざるを得ないイギリスの医療

イギリスでは、2020年に話題になった人の一人に、退役軍人のトム・ムーア卿がいます。ムーア卿は百歳という高齢の老人で、女王からナイトの称号を授与され、国を代表するヒーローとして讃えられました。

第二次世界大戦中は西ビルマ（現在のミャンマー）とスマトラで日本軍と戦い、帰英後は、現在、世界最大の戦車博物館があることで有名なボービントンの軍用車両戦闘学校で教官として勤務。戦後はコンクリート会社を経営し、富豪となりました。

悠々自適な引退生活を楽しんでいたムーア卿ですが、イギリスの最初のロックダウンの開始時に、自分の庭を歩行器で歩くかわりに、国民保健サービス（ＮＨＳ）の運営に必要な資金の募金を呼びかけ、ネットの口コミなど経由で47億円もの募金を集めることに成功します。

ところがムーア卿は2021年1月にコロナに感染してしまい、2月には亡くなってしまうのです。イギリスでは高齢者にはワクチンを優先的に接種していたのですが、手に入る時期には既に肺炎に感染しており、接種が間に合わなかったとのことです。

ムーア卿は広大な自宅に住み、外部との接触を極力避けていたのですが、2020年12月頭に家族でカリブ海のバルバドスに旅行に行っており、これが感染原因ではないのかと大変な議論になりました。

当時のイギリスは3度目の厳しいロックダウン直前でしたが、「特段の理由がある海外渡航」は禁止されていませんでした。

渡航は単なる家族旅行で、葬儀や病気治療などの「特段の理由」はなかったのですが、「特段の理由」があるかどうかを検査するわけではなかったので、旅行は合法でした。またムーア卿も家族も帰国時にはPCR検査が陰性だったので問題なく入国しています。

ところが空港は「ウイルス培養基」と呼ばれるほど危険性が高く、当時イギリスは死者も9万人を超えていたので国内移動すら推奨はされていなかったのです。テレビでも新聞でも繰り返し、国内移動や近隣の街への移動すらも避けるよう呼びかけていたのですが、なぜかこのような海外旅行をする人がいて、それは合法だったのです。

注意深い家族であれば、感染の確率を考えて渡航は控えますが、彼の家族はリスクを無視して旅行に行ってしまったのです。

しかし驚くことに、イギリスの多くの人は「彼は家族で最後の思い出を作れたから良かったね」という反応で、メディアでもこの旅行に関して疑問を語ることがほぼタブーになっています。

日本であればコロナ禍の最中に百歳の高齢者を海外に連れて行くことは大議論になりますし、そもそも家族が注意をしてそんな危ないことはしませんよね。

しかしイギリスの場合は「思い出を作るべきだ」「個人の意思を尊重すべき」という意見が多かったのです。移動によって他人にも感染を広げることや、家族が移動中に感染した場合のリスクは議論すらされませんでした。

日本の感覚では、こんな考え方は、「単なるわがまま」ではないでしょうか。なにせ彼の家族は、自分たちがウイルスを持ち込んで広めてしまうリスクも考慮していなかったのです。

さらに驚くべきことには、イギリスの大衆もメディアも国民保健サービスが百歳の老人の募金に頼らざるを得ないことを「素晴らしい」と讃えていたことです。これを議論すらしてはならない空気があるのです。募金に頼らなければならないような医療制度はどう考えても崩壊していると言うほかないと思うのですが、イギリス人は現実から目を背けたい人ばかりのようです。

イギリスの病院は予算不足で、日本の感覚では普段から医療崩壊の状態。コロナ禍でも日本のようなきめ細かい治療ができず、自宅療養で放置する例も少なくありません。

コロナに感染した老人の多くは、病院で大した治療もされずに、老人ホームに送り返されています。当然老人ホームでは感染が蔓延し、従業員も感染しました。

これはイギリスだけでなく、アメリカ、フランス、イタリア、ドイツ、ノルウェーでもおきたことです。イギリスのこのような対処は、人口が日本の半分なのに、死者が12万人を超えるという大惨事の原因の一つになっています。

このようなところにイギリスの犠牲者12万人と、日本の死亡者数の少なさの違いが垣間見えるのですが、日本のマスコミは相変わらず日本を叩き、海外は医療崩壊していないと絶賛するばかりです。

ワクチン開発でわかったイギリスの底力と優先順位

このようにコロナの防疫対策や治療では散々なイギリスではありますが、その一方でワクチン開発と接種では世界に先駆けて驚くような実績を残しました。

まずイギリスではオックスフォード大学とアストラゼネカ社がいち早くコロナウイルスのワクチンを開発しましたが、他のワクチンよりも値段が安く保存も楽だったために、ワクチン接種が始まった初期の頃には多くの人に接種が行われました。

アメリカよりもはるかに財源が限られていて大学も苦しい状況であるはずのイギリスで、アメリカに先駆けてワクチンを開発できたのには、イギリス政府の教育政策が大きく関係しています。

イギリスの大学のほぼすべては国立大学です。かつての日本の国立大学の仕組みのようにイギリスにも旧帝国大学に準ずる大学があります。それらは研究中心のエリート大学でオックスフォード大学やケンブリッジ大学、インペリアル・カレッジなど世界に名だたる有名大学が揃っています。

イギリス政府は納税者から税金を徴収して、その集めた税金を大学の運営費や研究資金に割り振りますが、その金額は各大学の研究実績に沿っています。良い実績を出す大学ほどたくさんのお金がもらえるのです。

各大学は研究者である教員の研究実績、すなわち論文の数や質と教育実績などを組み合わせて各自の業績を細かく評価し、それを積み上げて学部や大学そのものの実績とし、国の監査を受けて補助金をもらっています。

ですからイギリスで大学の教員になるのは大変審査が厳しく、教育や研究実績がない人は雇用されません。日本の大学では実務家教員といって企業で働いていたが何の研究実績もない人や、他にテレビに出ていて有名だった人を気軽に雇用したりしますが、イギリスの大学ではそれができません。

逆に、良い実績を出せる人ならば国籍や性別など関係なく、世界中から研究者を引っ張ってきて採用します。そのためイギリスの大学は大変多国籍で、日本の大学からすると驚くような多様性があります。その一方で実績を出せない人には大変厳しい評価が下り、大学をクビになってしまうこともあります。また学生の需要がないような学部は一気にお取り潰しにしてしまうこともあります。

日本の大学に比べますとはるかに激しくスクラップ&ビルドをやっているわけです。ですから日本の大学のように学会にほとんど出席せず、たまに大学の紀要に誰も読まない意見をちょろっと書いているような教員も多くはありません。（ただし抜け穴はあるので、完全にいないわけではありません）

またテレビに出まくって出演料や講演料を稼いでいるという学者もいません。そんなことをしていたらお前の研究実績はどうかと学部長や大学の事務から絞られて、また、教育やマネージメントの工数との兼ね合いはどうかということを、監査で突っ込まれてしまうからです。ですからイギリスのテレビには、日本と比べて大学の教員があまり出ていません。そんなことをやっている暇がないからです。

このように実績評価が厳しいため、イギリスは特にトップ大学の研究結果というのを厳しく審査しており、税金を投入する分、結果を求めます。また無駄なお金を極力使わない国ですから、実績を出せない研究機関にはお金を投入しないのです。ですからコロナに関しても、かなり前からウイルス関連の研究で実績を出せるオックスフォード大学に、集中的に資源を投下してきたのです。

またイギリスは選択と集中を徹底的にやる合理的な国ですから、エリート研究機関に資源を集中させる一方、底辺層の教育を徹底的に切り捨てます。ですから日本と異なり公立の小中学校の教育の質というのは大変低く、全体のレベルをアップしようという思考がありません。

なぜこのような思考になるかというと、イギリスは常に臨戦態勢だからです。戦いに勝つためには資源を集中させなければなりません。これは教育だけではなく戦争やビジネスでも同じです。ですからダメなものはさっさと切り捨て、諦めるという方針をとっているのです。

そのような普段からの冷酷な決断が、コロナのワクチン開発で他の国に先んじて実績を出しているという結果につながっているわけです。

さらに常に臨戦態勢でありますからイギリスは他の国からの襲撃ということを考えて

います。現代において戦争というのは第二次世界大戦時代のイメージのように武器を使って戦う大規模な全面戦争ではなく、細菌戦、情報戦など、ゲリラ的な手法を使う戦闘であります。それは敵国の内部に侵入して中から破壊することを可能にします。

コロナウイルスのワクチンの開発で先頭を切った国々というのは、イギリスを始めロシアや中国などですが、それらはつまり常に臨戦態勢の国々です。イギリスはこういった国々との戦闘を常に想定してきたのでウイルス研究にかなりの資源を割いてきたのです。

日本では大学の研究を軍事的な目的に使うべきではないということを言い張っている人々がいますが、他の国では大学の研究というのは完全に軍事的な目的とリンクしており、ウイルス研究もそのひとつなのであります。

つまりイギリスは教育政策の設計というのを、軍事的な戦略も踏まえた国家の運営の収穫のひとつとして捉えており、戦略的に資源を選択・集中させ、また国家の存続に見合う人物を海外から引っ張ってくるわけです。

このような冷酷な戦略性はイギリスという国の大きな強みであり、防疫や一般の人の教育という部分では弱みが露呈したものの、国家の運営や安全保障という点では、日本よりもはるかに強いということです。このようなことが火を見るよりも明らかになったのが、コロナ禍なのではないでしょうか。

・日本語の先生はドリフ

みにろま君は日本のお笑い番組が大好きです。

日本のお笑い番組というのは、イギリスや欧州大陸にあるようないわゆる「放送コード」という規制が全く関係がありませんから、こちらでは絶対に放送できないような内容が含まれています。

特に彼が気にいっているのがザ・ドリフターズ（ドリフ）や志村けんさんです。やはり小学生や幼稚園児の男子の心をつかむコンテンツというのは、世代を超えるものがあるようですね……。

「サムライけんちゃん（バカ殿のこと）からジャパンのグリーティング（挨拶）をおぼえたの。ババとおじさんに会ったらやるんだ」

そこにいたのは土下座をしながら

「殿のおなーりぃ〜」

と元気いっぱいに挨拶をしている姿でした……。

みにろま君、さらにドリフで日本語を学んでいるのです。

みにろま君「マミー、ドリフでジャパニーズをスタディしたよ！　チョースケがよく言っている言葉を覚えたからリッスンリッスン」

ワイ「えーそうなんだ。ぜひ教えて」

みにろま君「『ウルセエ!!』『おいっす!!』『おいお前!!』『バカタレが!!』『このバカ!!』『何やってんだこの野郎』」

彼のような外国育ちのダブルの日本人は、接触できる日本人が、親戚や家族など「ごく少数のサンプル」に限られるので、街中で日本人同士が挨拶する様子など、目にすることがありません。

そうすると接触する日本語というのは

・お笑い番組
・映画
・ネット動画
・アニメ

の中の日本人ということになるわけで、映画の中の日本人の言葉が「標準化日本語として学ばれる」ということになってしまうわけです。

これは実は珍しいことではなく、日本語を勉強する外国人にもアルアルな現象です。

私がこれまで遭遇した外国人には以下のような方々がいます。

・やくざの姉さん言葉で挨拶してくるフランスの女性
・萌えキャラの女言葉でしゃべるごついイギリス人
・小津安二郎の映画に出てくる人の日本語をしゃべるインド人
・矢沢永吉の決めゼリフを駆使する中国人

みにろま君も一生懸命日本語を勉強すればするほど、「いかりや長介」や「志村けん」になっていくわけですが、日本だとかえって人気ものになりそうですね。

第5章 バイリンガル教育の実践

わい
今日はみにろまくんの大好きな日本語を書いてみよーぜ!
わーい!! かくかくぅー!
わい
ダディ
ただいまー
これは何て書かれているのですか?
…聞かないで
マミーみてー!

実は海外の人も悩んでいるバイリンガル教育

日本の方は、海外に住めば子供は英語が流暢（りゅうちょう）になり、バイリンガルになると思われている方が多いかもしれませんが、実はそう簡単な話ではありません。

さらに驚くべきことは、イギリスだけではなく他の国に住んでいる親たちも、日本の親と全く同じように子供の外国語教育に大変悩んでいるということです。

単に学校の勉強で外国語を学ぶということだけではなく、親の言語やおじいさんおばあさんたちの話す言葉を勉強させることに大変な苦労をしています。

親がその言葉を話していれば子供が自動的に言葉ができるようになるというような単純な話ではないのです。

子供と会話できない親

移民の家庭では、両親双方が同じ国から来ていて、子供は外国で生まれ育つことが珍しくありません。

子供がある程度大きくなってから移民してくる人も大勢います。

移民する理由は、経済的な理由だけではなく、富裕層が自分の資産の保全のためや政治的な安全性を確保するため、また子供の教育のために移民してくるという人もかなりいます。

また親が研究者や専門職で、その仕事のために他の国にやってくるという場合もかなり多いです。

日本人で海外に移民する方の場合は、やはり両親のキャリアアップのためという方が非常に多いです。

子供は現地に早く馴染んでしまい、学校や友達とは現地の言葉で流暢にコミュニケーションを取ります。勉強もよくできるのでありますが、親の母語がわからないために親子の間でコミュニケーションがうまく成立しないということがあります。

そんなことがと思われる日本の方がいるかもしれませんが、実はこれは両親が日本人という家庭でも起こっています。

子供は学校だけではなく、普段暮らしているのが親の言葉を耳にしない環境ですから、どうしても現地の言葉の方が得意になってしまうわけです。

これは日本に住んでいる外国人の家庭でも起きていることです。

子供たちは習慣や考え方などが日本式になってしまい、日本の食べ物に慣れ、礼儀作法や習慣も日本のものになってしまいます。

家の中のテレビや雑誌だって日本語、一歩外に出れば看板から人々の会話、バスの行き先の表示だって全て日本語なのですから。

子供は小さい時からその環境ですから、日本語が周りにあることが当たり前で、親の母国の言葉には全く親しむ機会がないのです。

言語教育の失敗で精神的な問題を疑われる子供達

さらにこういった外国人家庭で起こることは、子供が普段から複数の言語を使い分けねばならないので、どうしても大変な負担がかかり、全ての言語が流暢になるというわけではないことです。

これは実は割と深刻な問題で、子供によっては発達障害を疑われたり、言語障害があるのではないかと学校の先生や医師から疑われることがあるのです。

これはバイリンガルやトライリンガルが多い北米やイギリスでも珍しくないことです。

子供が学校の先生に言われた指示が理解できなかったり課題ができないとなると、もしかしたら障害があるのではないかということで検査をしてくださいと言われたり、カウンセリングを受けなさい、場合によっては病院で治療を受けなさいと言われてしまうことがあります。

多人種・多民族な国でも、全ての先生が多言語環境の難しさを理解しているわけではないので、先生なら子供の知能と言語能力の関係を正しく把握できるというわけではありません。

さらに家庭内では親の母国の習慣や考え方で生活をしますが、一旦外に出れば外国ですから、家の中とは行動様式が全く違うのです。

学校やクラブ活動ではその国の考え方ややり方に従わなければならないのに、家庭の中で慣れているやり方で行動してしまうので、先生や他の大人からこの子供は何か精神に問題があるのではないかということを疑われてしまうことさえあるのです。

例えば日本人の子供の場合は、海外の基準では大変引っ込み思案でおとなしすぎるために、自閉症傾向があるのではないかということを疑われてしまうことがあります。

また日本語で読んだり話したり書いたりすることに慣れているので、外国語で表現をする際に日本式の遠回しな表現をしてしまったり、日本語の文法のままで現地の言葉でコミュニケーションを取るので、とても不思議な感じになってしまいます。

これは例えば「スター・ウォーズ」という映画にヨーダというキャラクターが出てきますが、彼は東洋系をモデルとしていると思しき宇宙人という設定ですから、日本語の文法で英語を話しています。これを日本人の子供は海外で実際にやってしまうこともあるのです。

大人の場合は「この人は外国人で日本人だからこうなるのだな」ということを周囲が理解してくれるのですが、子供の場合はまさか頭の中では日本語の文法や方式で考えているとは思われないので、何か知的な障害や精神的な問題があるのではないかと疑われてしまうのです。

母国語が複数ある人も珍しくない

さらにこれは、日本人はあまり想定していないのですが、北米や欧州のようにさまざまな国の人がいるところというのは、家庭内で使われる言語がたった一つということはありません。

異なった国出身の人同士が結婚をして、全く違う国で家庭生活を営んでいたという場合もあるので、例えば家庭によってはお父さんとお母さんの母語が違うだけではなく、どちらも出身国の公式語以外に部族語を使い、おじいさんやおばあさん、そして親戚はこれまた違う地域の言葉や部族の言葉を話しているということも珍しくないのです。

例えば私の知っている例では、お父さんがアフガニスタン出身でお母さんはリトアニア出身というご家庭があります。子供はイギリスで育っているので英語を母語として話しています。ですから家庭内ではアフガニスタンの公用語とリトアニア語が飛び交い、夫婦の共通言語は英語ですから、夫婦で話す時は英語で、子供とも英語でコミュニケーションをとります。しかし彼らの母国の親戚やおじいさんおばあさんたちは方言や部族の言葉を話していますから、時によっては家の中で5～6つもの言葉が飛び交うことになります。

子供はこのような環境の中で自然にコミュニケーションを取ることを学びますので、日本のように英語教育が大変だと言って大騒ぎしている状況とは大違いなのです。

新興国から来た親の猛烈な言語教育

このように言語教育をめぐる状況というのは、海外と日本では大きく異なるわけですが、北米や欧州のようにさまざまな国から人が移民してくる国には、経済的な成功や社会的な階層を這い上ることを想定している新興国の人々が大勢います。

彼らにとって、英語だけではなく他の外国語を身に付けることは、良い学校に入るだけではなく、就職やビジネスでも成功することへの近道でありますから、外国語教育にかける情熱というのは日本の比ではありません。

特に政治的に不安定な地域や経済的な問題の大きいところ、母国に戻れば政変があるような国というのは、そこから移民してくる人々は人生をかけてやってきますから、子供がその地の言葉を身に付けるかどうかというのは生きるか死ぬかの問題であります。

例えば日本に身近なところで言えば、韓国の人々の英語に対する教育熱は日本の何倍もありますが、これは彼らが南北の対立を抱えており、いつ戦闘が勃発するかわからないというリスクを抱えているからであります。

アメリカやカナダ、オーストラリアといったところに移民するのも当たり前のことであり、現地での成功は英語をいかに身に付けるかということに左右されますから、日本よりもはるかに早いうちから子供に英語教育を施し、より良い学歴を身に付け、食いっぱぐれない職業につけるようにします。

これは韓国だけではなくイギリスの旧植民地の国々も全く同じです。例えばマレーシアやインド、ナイジェリア、ボツワナ、パキスタン、ケニアといった国々です。

こういった新興国では、まずそもそも英語を身に付けなければ高等教育を受けることができません。大学の授業や専門教育というのは英語で施されており、専門書は日本のように翻訳されておらず、英語で読むほかないのです。

そういう国々の社会の上層部であれば、英語ができて当たり前という環境でありますから、いかに格調が高くレベルの高い英語を身に付けるかということが社会での成功に直結しています。

彼らの中には、旧宗主国であるイギリスに移民する人々もいるのですが、本国も21世紀の現代でも社会的な階層はイギリスの植民地時代の構造と大きく変わっていませんので、より格調の高い英語を身に付ける人ほど社会的地位が高いという意識があります。

ですから日本人のようにとりあえず英語ができれば良いというレベルではなく、社会の上流階級の英語を身に付けるということが社会的な地位を規定してしまうのです。

イギリスの私立進学校はどのぐらい勉強しているか？

このような背景がありますので新興国の人々やイギリスの旧植民地の人々というのは、ビジネスで稼いだお金を子供の教育に投資します。

彼らが子供を送るのはイギリスの私立の進学校であります。そのような学校では言語が社会的な地位を規定するということをよくわかっていますから大変な力を入れて英語を教育します。

彼らがどの程度の勉強をさせるかというと、例えば小学校の準備コースである「レセプション」という課程が4歳で始まりますが、4歳の子供でも1日1時間くらいかかる単語やフォニックスの宿題が出ます。まだアルファベットがあまり読めない頃から英語の絵本を1日に1冊読むようにという宿題が出るのです。

学年が上がってくると宿題の量はもっと増え、例えば5歳の子の英単語の書き取りのテストが、週10個から20個です。その他に算数や地理の宿題が出ます。進学校の場合は小学校2年生、これは6～7歳で日本の年長児から小学校1年生にあたるのでありますが、その頃には「チャーリーとチョコレート工場」「ハリー・ポッター」などの本をスラスラと音読できることが要求されます。

英作文も単に少し文章が書ければ良いという話ではなく、事実と創作を分けて表現することや、簡単なニュースレポートの要約を書くことが要求されます。

つまり日本の中学校3年生から高校1年生が要求されるぐらいの英語力が、6歳で身に付いている必要があるということです。

最近日本の大学の共通テストの英語が大幅に改定されましたが、このテストのリーディングのセクションは、イギリスの進学校の小学校のレベルだと、大体9歳から10歳の子供がやる問題集とほとんど同じです。

つまり日本の大学受験の共通テストで満点を取れないレベルの人というのは、イギリスの進学校の9歳から10歳の子供よりも英語力がないということになります。

日本人が置かれた特殊環境

日本人は韓国人のように政治的に不安定な国に住んでいるわけではありませんし、経済的な理由で海外に移民する人も稀でありますから、新興国の人ほど熱心に英語をやる必要はないわけですが、その一方で日本人が置かれている環境というのは実はかなりシビアなものがあります。

それは日本は少子高齢化で国内市場がどんどん縮んでいるということです。

国内市場が縮小していくということはモノやサービスを国内で売っても買う人がいないということですから、どうしてもお金を稼ぐには海外の人々にモノやサービスを売っていかなければならなくなります。

そうしますとどうしても英語が必要になってきます。今後ビジネスをやっていきたい企業や個人にとっては英語の必要性が今よりももっと高まっていくということです。

日本はまだまだ経済規模が大きな国で、世界的に見れば豊かな国ではありますが、しかし今以上に英語の重要性が高まっていくということであります。

言語教育は乳児からが当たり前

そのような状況に直面している日本人は英語力をさらに高めていかなければならないわけですが、日本国内では小学校から英語をやるのが早すぎるとか英語をやる前に国語をやるべきだと言っている方が大勢います。

ところがそのような議論は多言語の環境で育つ人々が大勢いる土地から見ると全く意味をなさない議論であり、そこから見ると数十年ぐらい遅れている印象を受けます。

北米でも欧州でも外国語教育というのは乳児期から始めても全く早すぎることはないという意見が少なくありません。

これは日本国内の状況を考えてみてもわかると思うのですが、例えば日本では標準語と方言を器用に使いこなす方々が大勢います。

そのような方々は乳児の頃から方言を聞いて育ち、テレビや雑誌の標準語に接し、地域外から来た人とも標準語でコミュニケーションを取ったりします。

実はこういった方言と標準語の違いというのは、日本語と外国語の違いぐらいにかけ離れていることが珍しくないのです。例えば神奈川県の人は沖縄の言葉を聞いても全くわかりませんが、沖縄の人は関東の言葉と地元の方言を使いこなします。

英語がある程度できる人が、ドイツ語やフランス語、イタリア語をやると、それらの言語が随分と似通っていることを実感します。正直言って、日本国内の方言同士の方がはるかに違いが大きいのです。

このように国内でも異なった言語を使い分けることができているのですから、なぜ日本語と外国語を分ける必要がありましょうか。

1親1言語の法則

今述べたように、北米や欧州では乳児期から外国語を教えることに全く抵抗がないに等しく、特に議論にもならないわけなのですが、小児科医や言語教育に慣れている人々が、そのような中でさまざまなケースを見て学んだことというのがあります。

それは家庭内では「1人につき1言語」というふうに役割を固定するべきだということです。

例えばお父さんが英語が母語の場合は英語のみでコミュニケーションをとり、お母さんが日本人の場合は日本語のみで子供とコミュニケーションをとる、おばあさんが中国語を話す方の場合は中国語だけで子供に話しかけるということです。

役割を固定して言語もそれに付随すると、子供はこの人と話す時はこの言葉というふうに、役割と言語を認識して言葉を使い分けるようになります。

これは実は、私がイギリスで出産した際の、小児科医や助産師、そして保健師の方々で、多国籍・多言語環境のケースを多数見ている方々からのアドバイスです。

また言語障害の訓練を専門としているカウンセラーの方にお会いした時も、全く同じことを言われました。

これは重い自閉症スペクトラム障害や知的障害がある子供に対しても同じとのことです。障害があっても、子供達は異なる言語を理解します。

避けるべきことは、1人の大人が複数言語を交ぜて使って子供に話しかけてしまうことです。

そうしますと子供側で脳の中の言語処理をする機能が混乱しますから、不可能ではないのですが、正しい言葉を身に付けるのに効率が悪くなってしまいます。

日本人の場合は両親とも日本人という場合がほとんどです。その場合はどうしたら良いかということですが、外国語を話す人の役割は先生や家庭教師に委（ゆだ）ね、家庭内では親は日本語でコミュニケーションを取ればよろしいでしょう。

しかしなるべく英語に触れるチャンスは増やすことが重要です。

幼いうちは英語を楽しむことで自発性を

また外国語を学ぶにあたって大変重要なことは、言葉を学ぶのは大変楽しいことで、言葉を身に付ければこんなことができる、あんなことができるという成功体験を子供にさせてあげることです。

やはり好きこそ物の上手なれで、何か自分が興味があることを達成するのに外国語が必要となれば、子供は言わなくても一生懸命やるようになります。

それは例えば違う国の人と楽しく遊んだりすることでもありますし、自分の興味がある映画やドラマのことを調べること、好きな漫画を外国語で読むこと、海外のゲーム中継動画の内容を理解すること、ゲームを外国語でやることだったりします。

遊びを外国語でやるということは特に重要です。

人間の本質というのは楽しいことをすることですから、何か楽しいことであれば外国語の勉強だって全く苦になりません。

これが試験勉強のため学歴のためとなると嫌だなぁと思う子供が多いのは当たり前です。大人だって試験のための勉強なんか嫌なんですから子供だったらなおさらです。

親は教師であり聞き役

さらに子供が外国語を身に付けるのに重要なことに、親の役割があります。塾や英会話教室に子供を入れればそこで終わりだと思っている方が多いのですが、そうではありません。

重要なのは、普段から外国語を学ぶ環境を家庭内で整えておくことです。つまり外国語が日常生活にあることを当たり前にするということです。普段の生活に外国語が溢れていれば、子供は自然に覚えます。さらに家庭でのフォローアップや宿題をやること、予習・復習をやること、そして子供がわからないことがあれば親が回答してあげたり、調べてあげることも重要です。

間違いがある場合は怒るのではなく、こういう答え方があるとか、この文章の方がわかりやすいかも、こういう単語を使って言う方法もありますよ、ということをアドバイスしてあげることも非常に重要です。

勉強を習慣にする

また、子供は勉強するのが当たり前という習慣をつけることも、とても重要です。例えば学校から帰ってきたら20分ぐらい、英語のアニメを見るのを当たり前にする、夕ご飯の前に英語で5つの物の名前を言ってみる。そういった簡単なことで構いません。習慣化することでやるのが当たり前になり、毎日続けられますから、それが積み重なればけっこうな学習になります。

そしてこういった習慣を身に付けるのに重要なのが、親が勉強している姿も子供に見せるということです。

子供は親のことを真似しますから、お父さんお母さんが楽しそうに外国語の本を読んでいたり、外国の音楽や映画に親しんでいる姿を見れば、こういうふうに楽しくやることができるんだなぁと子供は感じます。そして同じように真似をするようになるでしょう。これは大工さんや料理人のお子さんたちがお父さんお母さんが働く姿を真似するのと全く同じです。

幼児期から中学生レベルの英語を学ぶ

子供が外国語を学ぶのにわざわざ子供用の高価なＤＶＤを買ったり、なんでも子供向けのものを用意しようとする方がいますが、私はそのような必要はないと思います。もちろん発達段階に応じた本や学習は重要ですが、普段話す言葉やテレビや映画といったものは、大人が見ているもので構わないと思うのです。

子供もとても賢いですから、テレビから流れる大人用のニュースなどからさまざまな情報を拾っています。

これは私達が日本語を身に付けた時にどうだったかと考えればわかるでしょう。子供であっても新聞を読んだりテレビのニュースを聞いたり、街で耳にする大人の会話から日本語を学んだわけですから、外国語だって同じです。

言葉に触れる環境を増やす

私達が子供の頃に日本語をさまざまな周りの環境からも学んでいたように、外国語を学ぶのにも、とにかく接触する機会を増やすということは重要です。むしろ教科書や問題集より重要かもしれません。

なぜかというと、我々は日常最も接する言葉を周囲の環境から学んでいるからであります。

周囲の環境というのは、例えば街中の看板とか商品の表示、大人の世間話、ワイドショーの会話、選挙カーのアナウンス、駅のアナウンス、スーパーの特売の声、パチンコ屋から流れる音楽、そういった「日常の音や言葉」です。

海外で育つ子供の場合は、そういったものが周りにありませんから、現地の言葉はわかっても日本に来た時に自販機に書いてある言葉の意味がわからなかったり、洗剤の使い方の説明書が読めない、また、簡単な世間話に出てくる単語が出てこなかったりすることがあります。

大人になって外国に行った際に苦しむのも、そのような「日常に溢れる言葉を理解できないこと」なのです。外国で、商品の表示が読めない、市役所の申請用紙の意味がわからない、駅のアナウンスを聞き取れない、標識や看板の意味がわからない、同僚の世間話の、文法はわかるのに言っている内容の「真意」がわからない等です。

そのような場面に遭遇して初めて、自分は日本語を身に付けた時に、こういう日常のさまざまな場面から言葉を吸収していたのだな、外国語の場合は教科書しか学ばなかったからわからないのだ、ということを理解します。

実はこれは私の実体験で、アメリカ、イギリス、イタリアで最も困ったことが、専門書やビジネス文書を読めないとか会議の内容がわからないことではなく、「日常の言葉」がわからないことだったのです。

英語で算数やITを学ぶ

語学の勉強というとどうしても、問題集などを一生懸命やるという印象を持っている方がいるのですが、実は一番効果がある学習方法というのは、仕事や趣味など何か目的があって、それをやるためにその言語を身に付けるという方法です。

例えばちょっと昔にさかのぼりますと、高度成長時代の日本人はアメリカやドイツのメーカーの説明書を一生懸命解読して技術を学んでいました。

これが戦時中になりますと、日本語で書かれた最新の技術文書がありませんから、例えば海軍のエンジニアが参考にしていたのは英語で書かれたアメリカやイギリスの技術文書だったり、ドイツの説明書だったりします。

軍事技術の場合は国の命運がかかっているわけですから、それこそ真剣に解読しました。

私の祖父は戦前に海軍機関学校で学んだ海軍の士官で、戦時中は駆逐艦白雪の機関長を務めていました。祖父の学んだ物理などの教科書の多くは英語です。戦後、自衛隊の設立に関わっていた時も米軍との交渉を英語でやっていたようです。戦時中の交渉に比べたらはるかに楽なものだったのでしょう。

海軍兵学校や海軍機関学校は、技術を学んだり、敵と交渉するには英語が必須なことをよくわかっていたので、入学直後から、今の基準だと中高生の子供達に、英文学や哲学を原書で読み、英語劇をやるという大変レベルの高い英語教育を施していました。今の東大入試よりもはるかに難解な英語です。

私の父は、高度成長時代に自動車会社のエンジニアでしたが、父の世代の人やその上の世代の方々の多くは、かなり高度な英語やドイツ語を読むことが可能でした。会話はできませんが、文書を解読できなければ海外の技術を学べないのだから一生懸命です。そして欧州や北米に車を売らなければならないので、各国の政府の規制当局を説得するための書類を作ったり、実験データを英語で作成していました。仕事ですからそれはもう必死です。

これと同じく、現在だと例えばＩＴ業界の人々というのは、最新の技術はほとんどすべて海外から入ってきますから、英語がわからなければ商売になりません。もちろん日本語に翻訳されるものもあるわけですが、そんなもの待っていたら勉強が進みません し、新しい製品の実装も進みませんから、熱心な人ほど英語が達者です。

そうやって英語を身に付けた人々の英語力というのは、実務で文章を読み込んだり書いたりできるわけですから、非常にレベルが高いわけです。やらざるを得ないので嫌でも身に付きます。

これはちょっと極端な例になりますが、戦後シベリアの強制収容所で労働させられていた方々というのは、高齢になった今でもロシア語が流暢だったりします。仕事をするため、生きていくために、現場で必死になってロシア語を覚えたからです。

このように実務から言葉を学ぶ方法というのは非常に効果が高いですから、日本の子供が英語を学ぶ場合も、例えば数学や理科、地理などを、最初から英語で学んでしまうと効率が良いです。

英語で学ぶわけですからいちいち翻訳などしてはいけません。英語で学んで英語で解答する。それを繰り返していけば知識も身に付く上に語学力もうんと上がります。

実はこういう分野の英語というのは、英文学などに比べたら難解ではありません。使う単語もだいたい決まりきっていますし、文法も非常に単純です。

小さいうちから簡単な算数の計算とか文章問題などを英語で解いてみるのもよろしいでしょう。

政治経済の場合は、そもそも日本の教科書や基礎知識の多くは英語圏のものを翻訳したものですから、最初から英語で学んでしまった方が早いです。

アウトプットの場を設ける

英語を学ぶ際に非常に重要なのは、どんどんアウトプットしなければいけないということです。

日本の語学教育というのはどうしてもインプットだけに偏りがちですが、実務からの経験だと、とにかく声に出して読んだりしゃべったり書いたりしてアウトプットをして、それを良い教師にどんどん修正してもらう作業をやらないといつまでたっても身に付きません。

そもそも語学というのは、自分の意見を相手に伝えるということが最大の目的なわけですから、アウトプットがうまくできるかどうかということが最も重要なわけです。ですから初心者の頃からとにかく音読をし、読んで、書く。それをかなり厳しい教師にきっちりと修正してもらわなければなりません。

正しい文法や言い方、書き方を知らないと、後になって取り返しがつきませんから、非常にレベルの高い英語を知っている人に直してもらうのが重要です。

それは例えば優秀な学校の教員や大学の教授、言葉を発することで生活をしている新聞記者やジャーナリストのような人です。

彼らはプロとして読んだり書いたりする訓練を何年にもわたって受けていますから、非常に質の高い英語をアウトプットすることができます。

全く訓練を受けていないようなその辺のアルバイトで英語を教えている人に修正をしてもらっても正しいかどうかわかりません。

ただし多くの訓練を受けている人は、その訓練に大変な投資をしていますから、直してもらうにもそれなりの費用は覚悟しなければなりません。

ゲームやネット動画での発信を活用

そうして自分の英語を磨きつつ、アウトプットに活用できるのがインターネットです。どうやるかというと、英語圏の掲示板とかチャットで海外の人々と交流するのです。

特に動画配信のライブストリームだと、ものすごい速さでチャットが流れますから、そこに入ってどんどんアウトプットしていくと嫌でも今のレベルがアップしていきます。

さらに良いのがオンラインゲームで他のプレイヤーとチャットや音声で交流することです。ゲームをプレイしなければなりませんから、これはもう非常にレベルが高いアウトプットが必要になります。英語を書く速度が遅かったり、何を書いているかわからないと、ゲームのパーティーから外されてしまうこともあります。何せゲームをやっているのは幼稚園児や小学生、中高生に大人もいますから、さまざまな人がいて、大人の世界のような忖度が全く通用しないのです。

そういう世界で小さい頃からもまれていれば、嫌でも英語でうまく発信する力が身に付くわけです。

やりたいことを英語に結びつけよ

先ほど述べたように、好きこそ物の上手なれという言葉は本当にその通りで、何かを身に付けるのに好きであること以上に大きな能力を得られる道はありません。特に語学というのは非常に大きな忍耐力を必要とする訓練でありますから、その言語が好きでないとやはり能力が身に付かないのです。いくら親が子供をけしかけて勉強させても嫌なものは嫌ですから全く身に付きません。

実は私の周りには、幼稚園児の頃から英会話教室に通って私と同じように英語を学んでいたという人が何人かいるのですが、外国語に興味がなかったり、その言語が嫌いで全く身に付かなかった、中高時代は英語の点数がヒトケタ台だったという人は何人もおります。

馬に無理矢理水を飲ませることはできないということです。

しかし、何か好きなことが英語に関係があれば、子供は何も言わなくてもどんどん勉強してしまいます。

それはゲームであっても構いませんし、映画でもナンパでもF1でも何でもいいです。

そういった好きなことを探すためには、子供が無駄なことをいろいろやることが重要です。小さい頃からお勉強だけしていたら自分が何が好きかわかりませんし、いろいろ挑戦できませんから、小さい頃は英語をちまちまやるよりも、何か好きなことを徹底的にやらせてみるというのも近道かもしれません。

ちなみに私の場合は、なぜ英語をこんなにやったかというと、趣味が海外の映画鑑賞とハードロック・ヘビーメタルを聞くことだからです。

小中学生の頃は1日中映画を見ており、地上波で放映された映画は深夜の枠のものも含め可能な限りVHSで録画し、学校から帰ってくるとそれを鑑賞、見た作品はすべてノートに記録して、「SCREEN」や「ロードショー」を参照しながらいちいち批評を書き、たまに読者投稿するという非常に変わった子供でしたので、批評を究めるためにどうしても元の言語で映画を見たいと考えていました。

当時はまだ昭和50、60年代、小学生であった私はカセットテープをテレビの前に置いて、映画「ビバリーヒルズ・コップ」や「フルメタル・ジャケット」の音声を録音し、繰り返し繰り返し聞いて何とか聞き取れるように苦心していたのです。それも批評の質を高めるためです。

その結果、大学に入るまでに身に付いた英語というのがアメリカの海兵隊の英語やロサンゼルスの非常に荒い英語だったわけです。

例えば私が映画やハードロック・ヘビーメタルで覚えた英語というのはこのようなものです。

「お前のお尻に豚をぶち込んでやる！」

「床をなめろこのやろう」

「お前俺の尻はどうやって拭ってくれんだよ」

「くさった死体」

「ご主人様と奴隷」

「18番倉庫に宇宙人が隠されていてこれはアメリカ政府の陰謀」

このような英語を覚えた私は、アメリカの大学に行くなり教員に挨拶する際に「イエッサー」（「フルメタル・ジャケット」や「プラトーン」で覚えた表現）と言って相手を震撼させたり、会話のノリがメタリカのメンバーの話しっぷりだったために、同級生がドン引きしたりしたのです。

しかしこの経験がありましたので、アメリカやイギリスで一般の人の英語を聞いて、その場で意味を理解することができたのです。

何事も人生無駄になることはありませんね。

志を同じくする親と交流せよ

子供に英語を勉強させるにあたっては、周りがやる気のない親ばかりだとだんだんと気力が下がってきたり、心が折れてしまうことがありますから、たまには同じような志を持った方と交流するのも重要です。

対面で周りにいない場合は、ネットで似たような悩みを抱える方を探して Twitter でチャットしてみたり、たまには電話で話してみるのも良いでしょう。

あくまで競争するのではなくて、同じような人がいるんだなということを意識しておくだけでも、やる気が出てくるというものです。

良い教師と英語学校の探し方

英語を学ぶにあたって良い先生を探すのは、実は非常に難しいのです。

日本でよく見かける幼児英語の学校とか民間の英会話学校の先生というのは、大半が言語学や言葉を教える正式な訓練を受けていない人々です。

学校によってはアルバイトの学生だったり、母国では誰かを教えたこともない、もしくは無職だった人がやっていることもあります。

日本人の先生も、留学経験があるとはいっても実は短期間で、数ヵ月間の語学留学をしただけだったり、ワーキングホリデーに行っただけだという人もかなりいます。

なぜこんな先生ばかりかというと、適切な訓練を受けた先生というのは、自分の教育や経験に、ことの外、投資をしていますから、安い賃金では英語学校で教えないからです。

特に言語学で修士以上の学位を持つ方や、英語を書くことを本業としているジャーナリストや大学の教授のような人々というのは、人件費が非常に高く、時間単位の時給は日本の大手企業の部長の数倍になることがあります。

また彼らは言語を教えるよりも、コンサルティングをやったり、研究をやっていた方が時間単価で稼げる報酬が高いですから、言葉を教えるということを仕事にしないのです。

しかしそのような方々から指導を受けられることもあります。例えば本業の合い間に半ばボランティアのような形で面倒を見てくれる例。さらに日本の大学のエクステンションカレッジで教える例です。彼らの人件費の一部は大学の運営資金でまかなわれていますから、比較的安い料金で受講することが可能です。

また、きちんとした経歴を持つ先生方というのは、比較的長いこと事業をやっている英語学校で、大企業や官庁から教育訓練の委託を受けているところにいます。そういった仕事を請け負っている英語学校をネットで探して授業を受けたり、そこで教えている先生に個人的な指導をお願いすれば良いわけです。

費用は割高になりますが、良い教師から指導を受けるとピンポイントでコツを伝授してもらえますから、時間の短縮になります。

これは道具に譬えても同じで、値段が高いプロ用の道具を使えば短期間で作業が終わりますし、失敗することがありません。ＤＩＹや自動車整備をやる方はよくおわかりではないでしょうか。

オリンピックに出るような選手や人気のある芸能人が、非常に値段の高いコーチを雇って訓練を受けるのは、彼らは時間が限られているからです。安い授業を延々と受けるよりも料金の節約になります。つまり高い費用を出して時間を買っているのです。

・みにろま君の日本語勉強法

幼児に言葉を教えるのは、母国語でも外国語でも一苦労です。

そもそも座ってお勉強をするという退屈な活動など、好きな子供は極少数。歌やゲームに踊りも加えて、なんとか興味を保つようにやらねばなかなかですね。

さて、我が家の場合、みにろま君には興味を持つ言葉を書き取るように仕向けて日本語を教えています。

ワイ「みにろま君、では『うんこ』と書いてください。『う』は『うんこ』の『う』ですね。次は『おなら』『しっこ』。はい、繰り返してください!!『あいーん』と書いてください」

家人「これは日本語でなんと書いてあるのですか?」

聞かないで……。

・アメリカ語とイングランド語は違う

日本人は時々アメリカ英語とイギリス英語の違いなんてものを一緒にすることがありますが、その違いというのは思った以上であります。

そして驚くべきことに、実は幼児はそれを的確に理解しているのです！

みにろま君はイギリスで育っておりますが、テレビで「アメリカ語」を勉強しているのです。

「マミー、僕はね、アメリケン（アメリカ語）をスタディしてるのよ。なぜかというとクールなYouTubeとかゲームをブロードキャスト（放送）してる人はアメリケン（アメリカ人）が多い。だからアメリケンと話せるようにアメリケンを勉強しなくちゃいけないんだ。そしてね、アメリカに行った時はアメリケンでしゃべらなくちゃいけないんだよ」

「『マクドゥードゥ』はアメリケンでは『マクダーナ』なの。アメリケンにはアメリケンで言わないと通じないから勉強しなくちゃいけないんだ。ジャパンだと『まくどおなるどお』だよね。マミーは『マグドゥードゥ』と発音ができていなくて、いつも『まくどおなるどお』になっちゃうからプラクティスしなくちゃだめだよ！」

幼児は正直ですから、アメリカとイギリスは全く違う国であり、その言葉がお互い外国語、と、感覚的に理解しているようなのです。

やはりここは、頭で理解しようとする大人とは随分違いますね。

第6章

100マス計算が否定される国

音楽のオンライン授業での1コマ
中国人Aくん
とても訓練されたヴァイオリンの演奏
アフリカ系Bくん
お手製ドラムと即席ハナ歌(オリジナル)
チャカポコ
チャカポコ
はい！と〜ってもよくできましたね!!
Bくんは独創的！なんてクールなんでしょうすばらしい!!
…対してAくんは楽譜通りでツマラないわ
ぬおお…
イギリス的教育ここに極まる
Aくんのもよかったよ…(泣)

100マス計算が否定される

うちの子供であるみにろま君は、4歳からイギリスの幼稚園と小学校準備コースに通っています。イギリスは小学校の準備コースというものがあり、実質的には小学校が始まるのと同じです。子供が学校の制服をビシッと着こなして朝8時半から授業を受けるのです。そして5歳になりますと正式な小学校1年生になります。

学校で教える内容は日本の小学校の内容を前倒しした感じですから、実質的には小学校が日本より2年早く始まる感覚です。小学校が早く始まるので親は早く仕事に復帰できるわけです。

みにろま君が学校に通うようになって、自分が受けてきた教育とイギリスにおける教育の違いに毎日驚いてばかりです。

私は幼稚園から大学まで日本で教育を受け、大学3年生の時に1年間、所属していた日本の大学の返還不要の奨学金を受けてアメリカに留学し、その後アメリカの大学院で修士号を二つ取っています。

ですからこれまでの海外での教育の経験というのは大学と大学院で、しかもアメリカのごく一部の学校のことしか知りません。初等教育や中等教育のことは他人から聞いてはいても、実際に体験したわけではなかったので、本やテレビで聞いた内容のことしか知りませんでした。ところが自分の子供が実際に外国で学校に行き始めると、聞いていた内容とあまりにも違うことが多く、驚きの連続でありました。

日本の方々は海外の学校は入学式と卒業式がないとか、掃除をやらないとか、学校の学年の方式が日本とは違うとか、教室での行動が違うといったことはテレビや本でご存じなので、この本では細かくは説明しないことにします。制度的なことにはあまり興味がない方が多いとも思われますので。

また、この本の主題は、日本で子育てをしていく方々にとっての指針になるようなことや、日本と海外の根源的な違いの部分に関してはっきりアドバイスすることですので、その主題に集中して書きたいと思います。

まず私が非常に重要だと感じたのは、日本と海外では、根本的な哲学の部分で大きな違いがあるということです。

それを代表するようなエピソードの一つが算数の勉強です。

イギリスの小学校は、公立も私立も、算数の勉強を日本より前倒しでやります。教える内容は本当にだいたい似通っていて、小学校の場合は足し算、引き算、九九もあります。

しかし大きく違うのは日本のような計算や九九の反復的な練習というのをあまりやらないことです。もちろん全くやらないわけではないのですが、なんともう4歳から「数字を使って日常のあれこれを考える」課題に取り組みます。

例えばパンケーキを焼くのに100gの小麦粉と20gのバターを出すと全部でどのぐらいの重さになるでしょう、といったことを算数でやるのです。

また、ある一定の形の家を作るのに、どのパーツの図形を組み合わせれば良いですか、といったことをやります。

もちろん学校によって取り組む内容には違いがあるわけで、レベルも全然違うのですが、こういった応用問題に熱心に取り組むことは共通です。

私は最初、そのようなやり方をするということを知らなかったので、みにろま君には日本で買った計算問題の問題集や、最近日本で流行っている「100マス計算」の問題集をやらせていたのです。

先生との面談で、日本から取り寄せたこういうものを毎日やって習慣づけているんですよと伝えたところ、なんと返ってきた答えは驚くべきものでした。

「こういう反復的な訓練は良いところもあるのですが、もっと重要なのは数字を使って自分で考えることなんです。ですから生活の中で、数字を使って課題を解くということをもっとやってください」

日本だったら、反復的な作業を習慣化して毎日取り組むということは、褒められることが多いわけです。が、イギリスではどうもそうではないようなのです。そういった計算は、計算機やコンピューターがやれば良いことで、むしろ自分の頭で考えることの方が重要だから、そういう反復訓練に時間を割かないでください、ということなのです。

さらに驚くべきことには、4歳や5歳の子供に、自分が解答に至った経緯を言葉で説明しなさいというのです。

つまり英語で

「私はこの答えを出すのに、いくつといくつを足して、このような経路で答えに到達しました」

ということを書けというのです。

これも、単なる計算よりも「考えた経路」の方が重要だからということなのです。まだアルファベットを習い始めで、文法や綴りもそんなに完璧ではない子供に、きちっと文章で説明できなければだめだというのです。

つまりこれは、単に計算力を鍛えるというだけではなく、英語の能力も身に付けなさいと遠回しに言っているということです。算数であっても、まず英語力が高くなければ評価はしません、ということですね。日本だったら、幼稚園児や小学校低学年の子が、とりあえず計算もできて答えも合っていれば、素晴らしいと評価されるのでしょうが、ここではどうもそうではないようなのです。

さらに、これは九九に関しても同じなのです。

みにろま君の学校では、九九が始まったのはイギリスの小学校の1年生の時です。イギリスは小学校が5歳で始まりますので、つまり5歳の子供が九九をやります。英語圏では九九のことは「タイムズテーブル」と呼び、九九の表に当たるものを丸暗記していきます。

ところがこれがクセモノで、単なる丸暗記ではなく、やはりその答えに至った経路を言葉で説明しなさいという課題がどんどん出てくるのです。単に覚えただけでは全く褒められないのです。

これは日本とイギリスでは「何を教えるべきか」「子供は何を身に付けるべきか」ということに関しても、哲学的なレベルで違いがあるのではないかと考えました。

そしてこの件に関して驚いた私は、中国人の親に算数の教育についてどう思いますかということを聞いてみました。

するとやはり彼らも、このように考える経路を説明しろとか、応用をやりなさいと言われることに大変驚いたというのです。また、そんな小さな子供に論考を求めていてはパターンを覚えないし、暗記しないから、むしろ効率が悪いのではないかという意見が大半でした。

東アジアの場合だと、まず読み書き計算は、とりあえず答えが合っていればいいという考え方が主流なのではないでしょうか。中国でもたくさん計算問題をやったりします。「100マス計算」に似たようなものもあります。九九も丸暗記です。ですからイギリスのやり方は非常に効率が悪く、小さい子供にいちいちロジックを理解させるのは本当に大変よねという意見でした。

このような教育方法は、東アジア人の親だけが苦労しているわけではなく、フランス人やイギリス人の親も「どうやって教えたらよいかわからない。だいたい子供は、まだ簡単な単語だってわからないのに、掛け算の概念を理解してそれを口頭で説明しろなんて無理に決まっている」と愚痴のオンパレードです。

できない子供に容赦ない学校

学校側は、できない子供の面倒を細かく見るわけでもないですし、フォローアップもしません。子供の勉強は親の責任なので、学校の授業についていって、宿題をきちんとやるのは全て親の責任です。前述したような算数のやり方についていけない子供の面倒を、補習などで細かく見てくれるわけではありません。

私立の場合は、できないなら「おやめください」と言われて終わりです。私立の学校は、学期の終わりになると「来学期はおやめになる生徒さんが何人かおります。来学期は何名の転入生が入学準備をしています」ということをおおっぴらに公表します。公立学校の場合は、やめることはないですが、ダメな生徒はそのまま放置されてしまいます。

もしくは、勉強についていけない子供は学校側から落第してください、もう1回同じ学年をやってくださいとはっきり言われます。事実、みにろま君の同級生の中には留年している子がいるのです。なんと留年するのが5歳とか4歳の子供なのです。

日本だとあまり考えられないことですが、イギリスの学校はこういう生徒の転入学や留年が頻繁です。

日本のように、先生がいちいち面倒を見るような環境ではないのです。先生はガイドラインに沿ってカリキュラムを教えて、授業をやってそれで終わりです。できないのは全て生徒や親の責任です。

要するに非常に厳しい自己責任の社会なのです。

このようなやり方なので、先生は定時に学校を終えてさっさと家に帰ります。日本では教員の超過労働が大変な問題になっていますが、イギリスの場合は、公立の教員も私立の教員も仕事は定時で終わりです。子供の私的なことなどは全く面倒を見ません。それは彼らの仕事ではないからです。

このような弱肉強食のやり方というのも、日本とはずいぶん違うなと感じましたが、適者生存のロジックを考えた場合、ハードルを高くしておいて、ダメな子供には早い時点でさっさと脱落してもらった方が良いという考えのようです。

ピアノがうまくても褒められない生徒

さらに、イギリスと日本の教育の哲学的な部分の大きな違いを感じたのが、音楽の授業でのある出来事でした。

ロックダウンの最中、みにろま君の学校では音楽の授業もオンラインでしたが、各生徒が自分で何か楽器を演奏してオンラインでアップロードし、他の生徒に見せましょうという課題がありました。

教育熱心な家庭の生徒が多いので、生徒の半分以上は何らかの楽器を、個人レッスンやグループレッスンで習っています。

ピアノやバイオリンをかなり熱心にやっている中国人や東南アジアの中華系の生徒が、練習曲やディズニーの曲を演奏してオンラインで共有しました。幼稚園の年長の年齢にしては非常に演奏がうまく、毎日熱心に練習しているのだなということに私などは感心しました。

イギリスの白人の生徒やアフリカ系の生徒は楽器を習っていません。彼らは家に楽器もないのですが、授業の課題をこなしました。

あるアフリカ系の生徒は、家にある瓶とバケツにガムテープを貼って、その辺で拾ってきた木の棒でドンドン叩きながら自分で作った歌を実に楽しそうに歌って、動画を共有してくれました。

別の白人の生徒は台所からガラスのコップを持ってきて、それを鉛筆でちんちんちんと鳴らしながら、やはり適当な音楽を作って共有しました。

また、インド系の生徒は、自分で歌を作ったと言って、自分で考えた歌詞に適当な鼻唄をつけてふんふんと歌って踊りもやってくれました。

非常に自由で楽しい雰囲気に溢れていました。

そして驚くべきことに、音楽の先生は、ピアノやバイオリンを上手にひいた中国系の子供達への態度は非常に冷ややかだったのですが、自分で考えた楽器を演奏したり、メロディーや歌を作った生徒は大絶賛したのです。

言われた通りに何か曲を弾くのではなく、自分で考えて工夫して楽器を作ったこと、さらにメロディーや歌詞も自分で考えてみたということが、大変評価されたようなのです。

しかも自分で考えて行った生徒達は、実に楽しそうに自作の楽器を演奏したり、自分の歌を披露したりしていたので、その積極性や堂々とした態度も評価されました。

これも非常にイギリス的なことだなと感じました。

つまり、単にお手本をなぞってまねっこするのではなく、自発的に何かを考えて表現をするということが重要であり、それこそが素晴らしいことなのだという価値観なのです。

同じような課題が日本であった場合、楽器の演奏がうまくない子は恥ずかしがって課題を提出しないでしょう。家にピアノやバイオリンがない生徒は、それを恥ずかしいと思って、瓶やバケツで作った楽器を見せようとも思わないでしょう。

このエピソードは、私が以前、音楽指導者の方々から伺ったことを思い起こさせました。

この方々は、長年、欧州やアメリカで、さまざまな国の生徒に音楽の指導をしておられます。そのうち複数の方の発言に、類似する部分があるのが非常に興味深いのです。白人やアフリカ系、南アジア系の生徒は非常に積極性があり、自分の演奏が下手くそでも技術が微妙でも、舞台に立つと非常に堂々としており、なんとか演奏をこなしてしまうというのです。

彼らは自分がうまくないということをコンプレックスに感じず、とにかく楽しむということを優先する。そしてとても自発性があるというのです。

ところが日本人を始め、中国人など東アジア系の生徒というのは、先生の言った通り、お手本の通りにキッチリと演奏し、練習も熱心にやるのですが、自発的に何か楽しんでやるという感じではなく、表現に豊かさと楽しさがないというのです。

そして、実際の舞台となると失敗してしまう子供が実に多く、コンクールでも勝てないことが多いのですよと言うのです。

この音楽の授業でのエピソードは、まさにこの方々の長年の観察そのものではないかと感じました。

つまりこれは教育の成果なのか、それとも民族性か何か、根本的なものがあるからかわかりませんが、やはり東アジア系は反復練習を重視し、お手本に沿うことを良しとする子供が多いのです。そして突発性や瞬発力、変わったことをやる能力、表現力ではどうしても他の人種に負けてしまいます。

ひとつのエピソードではありますが、これは実は、各人種グループ、国民性の文化人類学的な側面を表しているのではないでしょうか。

例えば、イギリスには世界を代表するようなロックバンドがたくさんありますが、日本や中国発のバンドはほとんどありません。

ロックというのは既存の権威を否定し、また変わったことをやるのが良いという音楽のジャンルでありますが、やはりイギリスやアメリカが強いのです。東欧出身で有名なバンドもほとんどありません。ドイツのバンドで有名なのはスコーピオンズなど片手で数えるほどしかありません。かなり権威主義的で、東アジアのようにお手本をなぞるのがよろしいという考え方があるイタリアやスペインにも、良いバンドはほとんどいません。

アウトプット重視の人文教育

もうひとつ大変驚いたことに、イギリスの人文系教育があります。

イギリスの場合、人文系の教育に関してはかなり早いうちから、学期ごとのテーマを決めて、そのテーマに沿った学習を進めていくといったことを行います。

これは公立でも私立でも同じです。

テーマは例えば、「古代ローマ人の生活」「第二次世界大戦について」「健康的な生活」「航空の歴史」「王室」などです。

右記は実際にみにろま君の学校で出された課題です。

そのようなテーマに沿って、毎週、工作、仮装、作文などで、さまざまな事柄を調べて表現したり、ポスターを作成して発表する、あと、古代ローマ人の食べていたものを料理してみる、などという応用的な活動を行います。

ひとつのテーマに対して多様な形でアウトプットをし、自分で表現をしていくわけです。

このようなアウトプット主体の教育が始まるのが4～5歳、つまりイギリスだと小学校の準備コースの時です。学校教育の初期から、いきなりアウトプットをやれというのが主流なのです。

小さな子供にテーマを与え、自分で調べなさい、そして発表しなさいという課題が出されます。

授業の中で先生が子供達に動画を見せ、子供はそれについてまとめて口頭で発表したり、テーマに沿った絵を描いたりするのです。学年が上がっていくと、もっと詳しい情報を調べてレポートにしたり、ポスターにしたりするわけです。

また、パワーポイントや動画を使ってテーマの内容をまとめるということも、小学校の低学年から行います。課題のアップロードも、学校側が用意したウェブサイトやシステムに対して行います。アップする作業も子供自身がやるようにと指導されます。つまり家にパソコンがあって、システムを自在に使えることが前提になっているわけです。

ここまでアウトプットを重視した教育というのは、日本ではあまり一般的ではなく、まだまだ座学やインプットが中心です。もちろん昔に比べると、最近は自分で調べて発表するといった授業も増えてきていますが、イギリスのように5歳児とか6歳児にポスター発表をしろというようなレベルではありません。

小さな頃からこのような課題が出ますので、イギリスの子供は自宅でインターネットを使って調べ物をするのが当たり前です。またその親も、そのような課題を補助できるような知識と学力がなければなりません。

学校から出る宿題も、単にドリルをやろうというものではなく、次のような、アウトプットを作りなさいというものなのです。

・古代ローマの村の絵を描きましょう
・第二次世界大戦でイギリスが参戦した理由について書きなさい
・健康的な食事を料理して写真を撮りなさい
・イギリスの王様の人生をポスターにしましょう
・民主主義とは何か、プレゼンテーション資料を作りなさい

宿題として出されて週明けに学校に提出しなければならなかったりしますから、課題をこなすのは親も大変です。子供1人ではできないものも多いですから、結局、親がやる羽目になります。

イギリスの教育体系というのは、こういったアウトプットが重要視されて設計されているので、中学受験や大学受験もやはりアウトプットの善し悪しを評価する形式になっ

ています。

教育の設計がそうなっているので、中学受験も大学受験も、入試問題の多くは論述式です。

例えば以下は、オックスフォードにある私立学校St Edward's Schoolの2016年の入試問題です。このような試験を11歳から12歳の子供が受けます。

i) 'All political careers end in failure.' How valid, in your judgement, is this claim? Develop your answer by specific reference to the political careers of historical figures you have studied. (30)

ii) What is the difference between "myth" and "history"? (30)

iii) Should British history be prioritised in British schools? Discuss. (30)

〔和訳〕

i）「全ての政治的キャリアは失敗に終わる」この論述はどの程度有効なのか、あなたの判断で書きなさい。あなたが学んだ歴史的な人物の政治的キャリアを参照して論述を発展させなさい。（30点）

ii）「伝説」と「歴史」の違いは何か。（30点）

iii）イギリスの学校ではイギリスの歴史が優先的に教えられるべきか。議論しなさ

い。（30点）

(https://www.schoolentrancetests.com/wp-content/uploads/2018/05/13-history-st-edwards-scholarship-2016.pdf)

このような問題は日本であれば大学入試レベルでしょう。大学の受験勉強中の高校生であっても、このようなレベルの高い論述式の試験に解答できる人は多くないのではないでしょうか。

イギリスでは、このような試験が小さい頃から当たり前に行われるので、単に知識を詰め込んで歴史的な人物の名称や歴史的な事件を暗記するだけでは、とても試験で高い点数を取ることができないのです。

論述式で自分の思考を説明し、これまでに学んだ知識を引用しながら採点者を説得するためには、単に受験用の知識を頭に詰め込むだけではダメで、長い期間にわたってさまざまな資料を読み込んだり、歴史の流れを頭に入れておくという勉強が必要になります。予備校や家庭教師で付け焼刃の傾向と対策をやっても、全く太刀打ちができないということです。

もっともこれは、学力レベルが高い私立の学校の入試なので特段に試験もレベルが高く、公立の学校でここまでのレベルは要求されないことがほとんどではあります。

しかし、イギリスで学力上位レベルの子供たちによくなされている教育内容というのが、単なる暗記式の詰め込みではなく、自分で理論を展開し、言葉とロジックを用いて相手を説得する力を要求するものだということからは、この国で企業や国を運営していく人々に要求される能力とはインプットに長けていることではなく、アウトプットをうまくできる人であるということがよくわかります。

実はこれは最近の話ではなく、イギリスでは昔から、レベルが高い学校ほどこういった論述式の問題を解くことが要求されます。つまりリーダーになるような人や事業を回していく人に必要な能力は、相手を説得することであるということです。単に人から与えられた知識を暗記して、それを再生するという能力が高く評価されるわけではないのです。

書くことを重要視するイギリスの教育

これは歴史だけではなく、英語の教育でも同じです。

以下の例は、ロンドン南部にある私立の小学校 Sevenoaks School の英語の入試問題の一部です。これに7年生、つまり11〜12歳の子供が解答します。

Choose ONE of the following options and write a creative response to this picture:

1. Imagine you are one of the people either on the beach or in the water. Write a description of the scene, your feelings, your observations and thoughts as if you are that character.

2. Write a story based on this picture.

〔和訳〕

上の絵をみて、以下二つから選び解答せよ。

1．自分が海岸か水の中のどちらかにいる人だと想像しなさい。各シーンに関する説明、自分の感じていること、また絵の中のキャラクターだということを想像して周囲に関する考察を書きなさい。

2．絵を見てお話を書きなさい。

(https://www.schoolentrancetests.com/wp-content/uploads/2018/07/11-english-sevenoaks-2017.pdf)

このように、入試の英語でも単に作者の気持ちを想像しなさいとか、以下の選択肢から何かしら選べというものではなく、自分で採点者をうならせるお話を書けなければならないのです。

イギリスの教育ではクリエイティブライティング、つまり創作の能力というのが大変重要視されており、日本では幼稚園の年中さんの年齢から自分でキャラクターを設計してお話を書いたり、物語や絵の中の登場人物の気持ちを想像して、読者に向けて作品を書くことが要求されます。

さらにこういったクリエイティブライティングだけではなく、報告の文章、客観的な文章、創作の形式といったものを、やはり日本だと幼稚園児の年齢から学校で習います。日本だと作家養成講座やシナリオライターの講座に行かないと習えないような創作のテクニックを、子供達が学ぶわけです。

私はみにろま君用に、イギリスのライティングの教材や参考書を入手し、学校でやっていることもよく調べましたが、著述業をやる自分にとって、非常に役に立つことが多く、勉強になりました。

つまり、こういったことを小さな頃から構造化して教えているということは、国として、万事文章で表現し、他人にわかりやすく説明することを重要視しているということです。

確かに実務で考えますと、仕事の多くというのは他人とのコミュニケーションです。特に、オンラインでの活動が増えている現在ですと、文字に書いて世界各国に散らばったプロジェクトメンバーや社員などと交流しながら仕事を進めていくことがとても多いです。相手を説得できるうまい文章を書けることの重要性が高まっているわけです。グローバル化が進み、多種多様な人と英語でコミュニケーションしながら仕事をしなければなりませんから、非ネイティブの人のことも考えた、わかりやすい文章を書けなければなりません。日本のように、阿吽(あうん)の呼吸で仕事を進めていくわけではありませんから、文章をうまく書けない人は無能ということになってしまいます。

そうしますと子供の頃から書くという作業について技術面からきちんと学ぶことは、非常に有意義なことです。また生産性もグッと高まるでしょう。ですからイギリス政府がこの点に力を入れていることは非常によくわかるわけです。

アウトプット重視の教育の問題

ところがこういったアウトプット重視の教育には、大きな問題も存在しています。

4歳や5歳の小さな頃からアウトプットをすることを当たり前として、どんどん勉強を進めていきますから、インプットする量や機会というのが日本に比べると、どうしても減ってしまうのです。教科書を丸暗記したり、年表をそのまま覚えたりするような作業をしませんから、知識の総量というものが増えません。

賢い子供であれば、本をさらっと読めば、さまざまなことが頭に入りますから、暗記するような作業はあまり重要ではないわけですが、これが読んでも頭に入らないとか、そもそもお勉強が大嫌いな子供だった場合はどうなるでしょうか。

インプットを全くしないで、適当なその場しのぎのプレゼンテーションや口頭発表をやって終わってしまいます。ほとんどの子供は、インプットしても、必ずそこからうまいアウトプットを作れるわけではありませんから、インプットをしない子は、インプットもアウトプットも、つまり何も学ばないで終わってしまうということです。

アウトプット重視のやり方というのは、要するに、知能レベルが高く、好奇心もあって、自分で調べたり勉強したりする気力がある子供に向いているということです。

しかしそれは大半の人に当てはまることではありません。

大半の人は、勉強が大嫌いで本すら読みません。そういう人に必要なことは、学校側がターゲットを設定して徹底的に知識を詰め込むことです。いやいやでも知識を詰め込めば、とりあえず頭の中に何らかの知識が残りますから、何かを学んだことにはなります。

ですがアウトプットばっかりやっていますから、残念ながらイギリスの人の多くというのは、日本人に比べるとごくごく基礎的な知識が欠けており、全体的な教養レベルというのはかなり低くなります。

歴史や文学などを、日本のように国全体で体系化して、何歳だとこれを絶対に学びなさい、ということをやりませんから、同じ国の人でも住んでいる地域や通った学校のレベルによって学ぶことが全く異なり、共通する一般常識や知識というものが欠けることになってしまうのです。そもそも全国で統一された教科書すらないのです。学校間の格差も日本に比べると凄まじいですから、知識の差というものも、想像できないようなものになるのです。

例えばイギリスの公立底辺校の場合は、中学校で麻薬取引をやっているような生徒が大勢います。そんな学校の生徒が、中国の古代史を自主的に調べてプレゼンテーション資料を作るようなことはできませんし、そもそもそんな興味はないのです。なのに国として設計している教育というのは、そういう人々であっても歴史について自主的に調べて発表しなさい、というやり方です。これでは落ちこぼれる人が出るのが当たり前です。

これは歴史と国語（英語）だけではなく、数学に関しても同じなわけです。

イギリスの数学教育というのは、数字を使って日常生活その他の課題に対して応用するということを重視しますから、日本のように基礎的な計算力をどんどん高めたり、公式を使って定型的な解法をどんどん磨いていくということをやりません。

そういう訓練をやりませんので、簡単な足し算引き算、掛け算ができないという人が大勢いるのです。

家人が学生だった頃、つまり日本の昭和50年代頃にはイギリスも、日本のようにたくさんの計算問題を解いたり、九九をどんどん暗記して厳しくテストするということをやっていました。算数教育に関しては、実は日本を始め、他の東アジアの国々と似たようなことをやっていたわけです。

ところが、90年代の教育改革でそういったやり方は効果的でないとされ、応用中心のアウトプット型の教育に大きく変わったわけです。しかしアウトプットをあまりにも重視したために、基礎的な計算力や数学的な考え方を全く学ばないで学校を卒業するという人が続出しました。その結果、何が起きたかというと、働く人々の算数力の低下です。

イギリスの職場に行きますと、驚かされることに、教育レベルがあまり高くない人々や、大卒であっても日本の偏差値50以下の大学を出たような人々は、日本の人がサッと暗算でできるような計算すらできないのです。そのような調子ですから、数学を使わなければならないような仕事には、多くの外国人労働者がついています。例えばＩＴ業界のプログラマーの多くはインド人や東欧の人々などです。イギリス人は数学の教育レベルが低いために、良いソフトウェアが設計できないのです。

そして、これは大学で教鞭をとる家人も非常に頭を悩ませていることですが、90年代以降に教育を受けたイギリスの学生は、改革以前に教育を受けた人々よりもはるかに数学力が低いために、ごく基本的な経済学の授業や統計の授業が成り立たないのです。もちろんトップの大学に行けばそんなことはありませんが、中堅以下の大学だと全く話が通じないので、まず数学の話からしなければなりません。

日本の有識者の方々の中には、アウトプット重視のイギリスのような教育や、アメリカの教育を絶賛する方がいますが、それには数多くの脱落者がおり、全体としての国力が低下する可能性があるということも議論をするべきでしょう。

戦勝記念日について学ぶ幼稚園児

日本では、歴史教育が本格的に始まるのは小学校の高学年ぐらいで、低学年や幼稚園では、国の代表的な出来事や戦争について、それほど細かくは学びません。

イギリスの子供達が学ぶ教材を集めたサイトがあるのですが、そこを覗いてみると、この国ではどういった歴史教育をやるのかということが非常によくわかります。

まず幼稚園児向けの教材のページを見てみると、戦勝記念日を祝うための塗り絵やクイズがたくさんあるのです。

こういう教材があるということは、幼稚園でそういう教育をやっているということです。

戦勝記念日のことを、イギリスではVEデー（Victory in Europe Day）と呼びます。VEデーは5月8日です。イギリスは第二次世界大戦で敗戦していませんので、戦勝国です。彼らは毎年、戦いに勝った日を祝うのです。

ですから、第二次世界大戦に対するイメージというのは「明るい勝利」「枢軸国からの解放」ということが主要なテーマです。戦争に対して反省するとか、人類に対する犯罪を考えるなどということではなく、勝ったことを祝福しましょうという日なのです。

それを何と幼稚園の頃から毎年のように教育し、塗り絵をやったり工作をやったりして祝うというのは、日本の感覚だと驚くべきことです。

また、字が書けるようになりますと、欧州におけるイギリスの戦勝に関することを作文にしたり、ポスターを作ったりして発表するのです。

みにろま君の場合ですが、例えば5歳の時の課題は
べて書きましょう
・イギリスがどこの国と戦ったか、いつ勝ったか、またどこで大きな戦いがあったか調
・VEデーをお祝いする旗を作りましょう
・VEデーのポスターを作りましょう
といったものです。

さらになんと先生が
「私の父親はナチスと戦った戦車部隊の兵士でした。非常に愛国的で、ナチスの占領から国を救いました」
ということを子供たちに説明するのです。

しかし、生徒の中にはみにろま君のように日本人とのダブルの生徒やドイツ人の生徒がおり、東欧や旧共産圏出身の生徒もいるのです。彼らは枢軸国出身で、曽祖父達は第二次世界大戦で連合国と戦っているのです。

ところがここはイギリスの学校ですから、偉いのは戦勝国であり、勝利を祝うのは当然だという視点が、どうも全く疑問を差しはさむ余地のないほど当たり前のようなのです。

ですからそこに枢軸国の生徒がいても、彼らにも戦勝国の勝利を祝う宿題をやれと言うのです。

子供用のVEデーを巡る参考書や説明動画などを見ても、戦争の悲惨さを訴えかけたり、市民の間の被害者の実態など、日本だとごく普通に学ぶような「戦争の悲惨な面」というものを全く紹介していないのです。

あくまで第二次世界大戦は枢軸国が全ての悪で、彼らが戦争を始めたのが悪い、最も悪いのはドイツであり、そのドイツに協力した日本も極悪な国であるということを、教材には淡々と書いてあるのです。

日本の捕虜になったイギリス兵の証言が出てきたり、泰緬(たいめん)鉄道における強制労働がいかに非人道的であったかということも明記してあります。

当然、原爆が戦争を終わらせるために必要なものであったということもさらっと書いてあります。原爆投下による後遺症の存在や、死者の大半が一般市民であったことなどはほぼ無視されています。

日本だと、戦争に関する教育というと、まずは戦争における犠牲とか、生命の尊さといったものを情緒に訴えかけて、割と悲惨な話や動画なども見せて教育をしていくわけですけれども、このような考え方でありますから、イギリスではそういったものは一切見せないのです。

あくまで戦いに勝ったことがいかに素晴らしいことで、ナチスから世界を解放したことはヒロイックな行いであったということを、繰り返し繰り返し教えます。

このような歴史教育がイギリスだけかというとそういうわけでもなく、やはり歴史教育というのはその国によって全く異なっており、同じ事柄を扱うにしても見方が全然異なっていたりします。つまり子供達は同じ時代を学んだとしても、どの国で学んだかによって全く違う見解を持って育ってしまうということなのです。

実はマルクス史観の歴史教育

これは戦争に関する歴史以外においてもよくあることです。

例えば、日本ですと、日本史でも世界史でも、戦後の歴史教育において異常に強調されてきた部分は、民衆がいかに権力と闘ってきたかという部分です。

日本史ですと、農民一揆や米騒動などが、歴史的な重要性をもって取り上げられることが多いです。ところが最近の研究ではそういった民衆による蜂起というのは、これまで言われてきたことと実態が大きく違っており、実は社会の変化にはそれほど影響がなかった、という説も発表されています。

また、日本の世界史においては、なぜかフランス革命とルネサンスが大変重要視されています。さらにロシアにおける革命についてもやたらと勉強するのです。

イギリスだと、フランス革命やルネサンスは、日本ほどの比重をもって教えられていません。

あくまでさらっと流されて終わりです。

両国の学生用の参考書などを見ると、こういった違いが非常によくわかります。映画やドラマの世界でも日本だと今もフランス革命を劇的に描いたものがやたらと人気で、「ベルサイユのばら」は宝塚歌劇でずっと人気がある演目の一つであります。が、イギリスではフランス革命は、実は、それほど重要性が高くありません。

むしろ注目されるのはイギリスとフランスが延々と戦っていた百年戦争の方であります。

イギリスは、フランスの隣の国で、長年、敵対関係にありました。一時期はフランスの王に支配されていたという歴史がありますから、日本のようにフランスの歴史を美化して捉えるという感覚がないのです。あくまで自国との関わりの点において重要な部分をピックアップして学びます。

日本でフランス革命だけでなく、ロシアの革命についてやたらと学ぶのは、戦後の日本ではマルクス主義的な説が強かったという理由もあるのでしょう。

日本の世界史の教科書をイギリスの教育関係者や学者に見せますと、この内容はまるでマルクス史観そのものだと驚かれたりします。

イギリスではロシア革命についてそれほど熱心に学びませんし、ほぼ無視してしまう学校もあるのです。

さらに驚くべきことに、イギリスの世界史では東アジアの歴史をほとんど学びません。多くの人は中国と日本の違いが全く理解できていませんし、日本と北朝鮮が陸続きになっているというふうに信じ込んでいる人もいるほどです。台湾という国があることを知らない人も多いですし、韓国についてはBTSのような韓国アイドルを見て初めて知ったという人も多いのです。

結局、学校で東アジアの歴史や地理をほとんど教えていないことがその理由です。軽くは触れますが、その量や頻度があまりにも少ないので、地球の裏側のことを全く理解しません。日本は今でも世界第3位の経済規模の国だというのに、こんな調子の扱いなのです。その上、日本どころか中国のこともそれほど熱心に教えませんから、よほどのマニアの人を除いては、中国の地理はどうなっていて歴史はどれだけ長いか、ということも知らないのです。

大英帝国すげぇ!!! 偉い!! 超最高!!

イギリスの歴史教育でさらに驚くべきことは、なんと植民地支配に関することがガン無視状態に近いということがあります。

基本的に

「大英帝国すげぇ!!! 偉い!! 超最高!!」

です。

すみません、日本国内で、日本は戦争犯罪を犯したとか、植民地化はひどかったとか、延々と聞かされてきた皆さん、驚きませんでしょうか。

私ははっきり言いまして超驚きました。

なんと反省の色がほとんど皆無、そして歴史の授業では延々とわが国はいかに世界に貢献してきたかという主張が繰り返されます。

ちなみにイギリスの学校には教科書というものがありません。教育省が、一応、こういうことを勉強しようというガイドラインを決めているので、それに沿って学校側は、先生が教材やプリントを用意して勉強をします。

日本のように検定教科書というものがないのでありますが、どんな内容を勉強しているかということは、市販されている参考書や問題集、各学校の入試問題などを見れば大体わかります。

教科書がないために、子供が一体何をどこまで勉強したらいいかわからないので、私は子供用にさまざまな参考書や問題集を買い集めたり、ネットでいろんな学校の授業の様子やカリキュラムの内容を調べたわけですが、やはりイギリスの歴史教育はいかに俺の国はすごいかということを延々と繰り返すことが主流となっており、戦後に歴史教育を受けてきた日本人からすると、まるで戦前の日本の教育を受けているような気分になるのではないでしょうか。

最近、戦中と戦前の日本の教科書が復刻されていたり、国立国会図書館で資料を見ることができるので、中身を見てみたのですが、当時の教科書とイギリスの現在の歴史教育の流れを比べますと、なんとなく似ている部分があるわけです。

それはその通りで、当時の日本というのは帝国主義をバリバリやっておりましたから

「我が国は超えらい！　スゲー!!　ぱねえ!!」

の連発であります。

　ところがイギリスの場合は、日本と違い、第二次世界大戦で敗戦を経験しておりません。戦勝国が偉いという世界になった中では、ナチスをぶん殴ってやったイギリスははっきり言って「スーパー偉い国」という扱いなわけです。

　１９６０年代にはイギリスの植民地はどんどん独立していったわけですけれども、それでもイギリスはやっぱり敗戦国ではないので、戦前の歴史観、世界観というものをいまだに引きずっているわけです。

　サッチャーさんが政権を取った後に、自虐史観を根絶しようということで歴史教育の中身が大幅に変わったというわけではなく、うちの80代の義理の両親や、そのお友達、親戚の話を聞いても、昭和30年代とか20年代とかのイギリスの歴史教育もそんな調子だったというのです。家人が教育を受けた昭和50年代でも、それほど内容に差はありません。

海外と自国の区分

そして、イギリスの歴史教育を見て非常に驚くのが、日本のように日本史と世界史をバツッと分けているわけではなく、両方をミックスして、日本だと幼稚園の年中のレベルからガンガン教えていることです。

例えば幼稚園の年中さんの子供が、古代ローマや古代ギリシャの歴史について学ぶわけです。日本だったら中国の古代史を幼稚園児が学ぶ感じです。

ただ、日本で学ぶ時は、あくまでそれは外国の歴史として学んで、日本には中国からさまざまな文明がやってきました、というふうに勉強しますよね。

ところがイギリスの場合は、古代ローマや古代ギリシャは「偉大な西洋の文明の根源である」みたいな文脈で語るので、まるでそれはイギリスの歴史の一部である、というような調子なのです。

このような視点の違いは案外重要で、「自国と海外」の境目をどのように分けているかということがわかります。

つまり、イギリスにとっては、自分達は西洋文明全体の一部であるというような意識が強く、日本の場合は、日本は日本、という意識が強いということですね。

ですからイギリスでは、古代ギリシャや古代ローマに関する幼児用の教材がやたらとありますし、小学校でも力を入れて勉強しています。古代ローマの人の格好をして学校に行きましょう、という日もあったりするのです。

日本だったら、中国の古代王朝の勉強を、小学校低学年の子が熱心にやって、中国の皇帝の格好をして学校に行くような感覚ですよね。

これは、歴史教育のあくまで一つの側面でありますが、幼少期からこのような勉強の仕方をしており、自分の国が西洋という非常に大きな文化的・歴史的区分の一部であるというような視点を持っているのと、日本は日本という視点を持って学んでいくのでは、潜在意識の上で自分は世界においてどのような立ち位置にあるかという意識が異なってくるのではないかと思うのです。

自国に否定的な番組を公共放送で流せる日本

少し前に、日本ではＮＨＫの海外向け放送の内容が国会で問題になりましたね。イギリスでは、自国の歴史のやばい部分をあまり教えないどころか、ＢＢＣを始め、民放のチャンネルなどでも、イギリスの植民地における支配や犯罪などをドキュメンタリーや歴史検証番組として流すことはほとんどありません。

はっきり言いましてネタとしては大量にあるのですが、テレビの歴史番組はなぜかギリシャ古代史とかローマのお話ばかりで、自国のやばいお話はほとんど無視です。

ところが日本の場合は、ＮＨＫを始めとして民放のテレビ局でも、７３１部隊や特攻隊の話などが、割とカジュアルにドキュメンタリーとして流れております。

実はこういった番組は英語に訳されて、ＮＨＫの国際放送であるＮＨＫワールドＪＡＰＡＮで放映されております。

海外では無料で放送されているので、ケーブルテレビのチャンネルなどで無料で見ることができるのです。

ちなみにＮＨＫワールドＪＡＰＡＮは、海外向けに作った、日本のニッチな観光地や職人技などを紹介する良質な番組が多いので、我が家では毎日のように見ているのですが、その合間に突然ぶち込まれるのがＮＨＫ本体が作るような非常に重い歴史ドキュメンタリーです。

家人はそんなドキュメンタリーはイギリスでは見たことがないので、非常に驚いております。

「日本は保守的な国だと聞いてるし、こういうのを自民党の人とか文句言わないわけ⁇　しかもNHKでしょ。よく流せるよね‼」

とドン引きしています。

しかも戦中の人体実験とか強制労働とか、航空母艦に乗っていた若い兵士の悲惨な状況のドキュメンタリーを、ゴールデンタイムに流しているということにも驚いています。

「えー、日曜日のリラックスする時間にそんな重いネタを流していて、みんな見てるのか!?!?!　なんで?!?!　月曜日から気分がどん底じゃない⁇　イギリスだと踊りとか料理の番組だよ……」

とびっくりです。

イギリスを始め、他の国の国営放送や公共放送だと、自国をガンガン否定するような番組はあまり流さないというか、はっきりいってそのような番組はほとんどありません。

何せ税金や一般民から集めた視聴料で運営する公共の放送局でありますから、一般民の愛国心を高めるためにガンガンと「我が国は偉い！　すげえ！　ぱねえ‼」とやるのが当たり前であります。

最近はネットで海外の公共放送を見ることができたりしますから、ご興味がある方は見てみるとよろしいと思います。他の国の番組はプロパガンダだらけです。我が国の公共放送だけがこのように割と客観的でネガティブな番組も流しているわけです。

この点に関して私の友人達や家人は、日本がどれだけ表現の自由が保障されているかということがよくわかると言っています。

他の国なら、そんな番組を作るディレクターとかプロデューサーが暗殺されてしまってもおかしくないからです。また、自国に不利な研究をやる学者にも研究予算がついたり、大学で雇用されていたりする点も、日本の寛容さの現れだと言っています。他の国だとそんな研究には予算がつかなかったり、大学に居づらくなることもあるからです。実は我が国は割と寛容で自由なのです。

愛国教育が当たり前?!

歴史教育の他に、非常に驚くべきことが、日本の学校では極右扱いされるような教育を、イギリスの学校では割と普通にやっているということです。

公立の、左翼色が強い学校では拒否されるところもあるのですが、私立の学校だとバリバリの愛国教育をやっていたりします。

それが別に極右の学校というわけではなくて、中道保守の学校や、どちらかというと左翼系の学校でも割と普通にやっていたりするのです。

例えばイギリスは11月11日が「リメンブランス・デー」といって、戦没者記念日にあたります。第二次世界大戦だけではなく、第一次世界大戦の戦没者についても追悼する日です。

この日はイギリス全体が追悼の空気に包まれ、この日の数週間前から街頭ではポピーの花をかたどった胸の飾りを販売し始めます。

これは戦傷者への募金集めのためで、イギリスは現在でもイラクやアフガニスタンで負傷して傷痍軍人になる人が大勢いますから、そういった人々の支援に使用されます。街中にはポピーの装飾や窓飾りが溢れ、戦没者記念日の当日にはBBCで追悼儀式が放送され、黙禱が捧げられます。雰囲気的には日本の終戦記念日に近いものがあります。

職場でも、胸にポピーの花をつけている人が大勢います。最近では若い人にはあまり人気がないようですが、中年以上の方だとポピーをつけている人が珍しくありません。街頭での募金もとても盛んです。デパートやスーパーにも、ポピーの花をかたどったブローチやネクタイなど、さまざまなチャリティ用品が並びます。デザインが大変洗練されているのでつい手に取ってしまいます。美術館や博物館はポピーの花をかたどった装飾で彩られます。

イギリスの学校でもこの日は戦没者を盛大に追悼し、授業にもさまざまな活動が組込まれています。

非常に驚かされるのは、学校によってはこの日に現役の兵士を招いて、愛国心に関するお話をしたり、敬礼や軍事行進を練習することです。

日本だったら大騒ぎになりそうな活動でありますが、イギリスでは子供が兵士に対して敬意を示すことは、大変素晴らしいことだと考えられています。

兵士の訪問する先は、なんと、幼稚園も含むのです。

4歳や5歳の子供が、アフガニスタンやイラクで実戦に参加した兵士の方のお話を聞いて、「レスペクト!」(尊敬!)という掛け声とともに兵士に対して敬礼するのです。

学校ではポピーの花をかたどった飾りを作ったり、校庭や花壇にポピーをかたどった装飾を施したりします。

それをやるのが、割と左翼系の学校でも当たり前ですから非常に驚かされます。

みにろま君も5歳の頃に、学校にソルジャーが来たと言って大興奮して話し、家で敬礼をやっていました。

学校ではポピーの花の塗り絵をやり、ソルジャーというのは国や地域のために戦って亡くなることもあるんですよということを学びます。兵士は死ぬということを幼児に教えるのです。

日本だと、太平洋戦争への反省から、今でも愛国という言葉を口に出すのも抵抗があります。10年ぐらい前までは自衛隊について語ることや、自衛隊のイベントに行くことも、他人に話すには若干、抵抗がありました。なにせ当時は、右翼思想を持った危ない人というふうな扱いをされることもあったのです。

私が子供の頃には、自衛隊の方が制服で外を歩くことも簡単ではありませんでした。親が自衛官であることを隠すという人も珍しくなかったのです。

そして、太平洋戦争で戦った人々は、長い間体験談を語ることがありませんでした。ところがイギリスでは、当時の体験を割とオープンに話す方が多いですし、親や身内が軍隊で勤務しているということはむしろ誇るべきこととされます。国やコミュニティを守る人々なので、警察官や消防士のような、社会貢献度が高い職業とされるのです。

また、若い人の間では戦時中のファッションを好んで着こなす人がいて、時々新聞やテレビに出ると、趣味のおしゃれさんとして紹介されています。

戦時中の歌を好んで歌う若い人もいます。第二次世界大戦中のグッズを集めたりコスプレをするイベントも各地で開催されていて、それはレトロで、ちょっとおしゃれな感覚で扱われているのです。

Amazonではコスプレ用に当時の衣装が簡単に手に入ります。女性向けのドレスだけではなく、なんと疎開する子供の衣装、従軍看護婦の制服、軍服のレプリカなども大人気です。学校では第二次世界大戦のコスプレをする日もあります。ちなみに、当時の日本兵の軍服も、イギリスの方がレプリカが手に入りやすく、値段も手頃です。

日本だったら、太平洋戦争中の軍服を着て模擬戦をやっていたら、危険思想がある人みたいな扱いなのですが、イギリスではあくまでただの趣味で、レトロな趣味があるなかなか面白い人という扱いをされます。

この辺も戦勝国と敗戦国の感覚の違いでありますね。

私立に行かなければエリートになれない

現代のイギリスは、教育に関しては大変な個人主義で、自立自助という考え方です。

良い教育を受けたい場合は、親が子供に投資をしなければならず、国に頼ることができません。古いイギリスのイメージしかない方は、「ゆりかごから墓場まで」という、高福祉国家のイメージがあるかもしれませんが、現在のイギリスはお金がなければどうしようもない国で、特に教育には大変なお金がかかります。

オックスフォード大学の場合、２０１９年の新入生の37・7％が私立学校出身です。加えて大学入学時には公立出身でも、小中学校が私立という生徒がかなりいます。こういう生徒は中学校まで私立で、選抜が厳しいエリート大学の受験に特化した2年制の公立高校に入学して大学を受験します。(https://www.ox.ac.uk/about/facts-and-figures/admissions-statistics/undergraduate-students/current/school-type)

イギリスは、実はかつては、小学校から高校まで公立の学校に通って、一流大学に入ることが容易な社会でした。

サッチャー政権の頃までは、イギリスの子供は学力別に成績優秀者を選抜して、グラマースクールという、要するに日本の旧制中学に当たる公立の進学校に入って、大学を受験するというのがごく当たり前でした。

実はサッチャーさんや彼女の周辺にいた閣僚達も、出身は公立の学校です。学業が優秀だったので、選抜されてグラマースクールに通い、オックスフォード大学やケンブリッジ大学に進学しています。

サッチャーさん自身は、イングランドの東部のリンカーンシャーという農村地帯の雑貨商の娘さんで、実家はものすごく裕福なわけではなく、当時のイギリスのエリート階層というわけでもなかったのですが、教育システムのおかげで高い教育を受けて化学を学び、当時は産業界の最先端の一つであった食品添加物の研究者となりました。サッチャーさんが研究していたのは、アイスクリームの人工的なフレーバーです。(彼女の合理的思想、新自由主義の思想は、彼女が化学者だったことが原因の一つだと言われています)

日本でも、今の70代以上の方々が若かった頃は、公立の進学校が非常に進学実績が良く、そうした進学校は少なからず、その前身が旧制中学でありました。地方から越境入学して優秀な公立校に進学し、旧帝国大学や有名な私立大学に進学する人が大勢いました。

当時は予備校も今ほどは発達していなかったので、学校の勉強だけで大学に受かることが可能でしたから、イギリスの仕組みと似たところがありました。

90年代に、イギリスでは教育改革が行われ、従来のポリテクという専門学校的な学校が大学に格上げされて、大学の数が激烈に増えます。1990年までは5~15%程度だった大学進学率が、今では50％近くになっています。（https://www.researchgate.net/figure/Higher-Education-Participation-Rates-in-the-UK-1950-2010_fig1_248935907）（https://assets.publishing.service.gov.uk/government/uploads/system/uploads/attachment_data/file/648165/HEIPR_PUBLICATION_2015-16.pdf）

ところが、トニー・ブレアが率いる労働党が政権をとって実施した教育改革では、学力によって生徒間の格差をつけることは良くないという方針となり、学力で選抜をするグラマースクールは廃止されたり、民営化されて私立の学校になってしまいます。

また、公立の学校にはいわゆる「ゆとり教育」が導入され、1980年代までは当たり前だった、計算力や暗記を重視する詰め込み型の教育が否定され、自分の頭で考えたり、グループワークを中心とする、「ゆとり教育」が中心になっていきます。

その頃までに教育を受けたイギリス人と今のイギリス人では、公立の学校で受ける教育に大きな違いがあります。

これで起こったことは、公立の学校の教育レベルがどんどん下がり、有名大学へ進学する生徒の私立の学校出身の割合がどんどん上がってしまったということです。

皮肉かつ驚くべきことには、格差を否定し、市場経済主義よりも社会主義的な政策を進めてきた労働党の幹部に、私立出身の人が非常に多いということです。

最近まで労働党の党首であったコービン氏も、実は、小学校から私立に通っていたという裕福な家庭出身です。そういう裕福な階層の人々が市場経済を否定し、学力による選抜を否定してきたのです。

その一方で、労働党の幹部は自分の子供を私立の学校に通わせたりしているのですから大きな矛盾があるとしか言えません。

このような現状を受けて、現在、イギリスの私立の学校には教育熱心な親が多く、その中には自身が公立の学校の教員だという人も実は少なくありません。彼らはイギリスの公立の教育内容を自ら知っているので、子供をあえて厳しい私立の学校に送るのです。

みにろま君とひと休み

・日本のクールなもの

みにろま君は年長児ですが、好きなものが日本の子供とはかなり違います。

家でＮＨＫワールドＪＡＰＡＮの日本の地方や伝統工芸の番組ばかり見ていることと、彼は日本にいないので、日本の子供や若い人なら当然のごとく持っている先入観がないため、「クールなものはクール」と直感的な感性で感じるからのようなのです。

以下は彼の最近の発言です。

「マツリに行ってボンオドリをたくさんやりたい。エスペシャリー、ヒガシムラヤマオンド」

「シルクワームでシルクを作りたい。マミー、それはどこでできるか？」

「オテラでオボーサンに会って、ドラムを叩きたい。そしてオテラは天井が落ちる」

彼にとって一番クールなアーキテクチャは、ジャパンの寺や庭園、クールなグッズは寄木細工や仏像、クールなミュージックはボンオドリやオキョウにエンカとムード歌謡です。

敏いとうとハッピー＆ブルー、布施明、アルフィー、北島三郎、吉幾三、鳥羽一郎、堺正章、ドリフの歌を実に熱心に聞いているのです。

第7章
子供を国際人に育てるには？

これが
未来の国際BOY
verX
好きこそものの上手なれ！
オタク脳をプラス
何にでもなれる！
柔軟な職業観
ワクワクEYE
独創的な視点 & 積極的な姿勢
学ぼう！人間を知るためのノウハウ
文化人類学
人文地理学
情報キャッチear
世の中の仕組みを知ろう！
力こぶ
力強いリーダーシップ
協調性＜カリスマ性
「私はすばらしい！」
自己肯定がしみしみのハート♡
人を動かせる＆上手に
交渉できるお達者マウス
芸術的な感性のココロ
時間もお金も有限！
費用対効果計算機付き
物腰ていねい＆
きめ細やかな気遣いができる
人生は戦闘モード
サバイブしていこう!!
それでも何よりも
健康第一
移動も速いぞ！
長生きしてくれよな!!
これで今日から
キミも立派な国際人！
OSバージョンアップは夜間に行うぞい！

自己肯定感を磨け

日本では最近、中学、高校のうちから、日本の大学には行かないで、直接、海外の大学に行く計画を立てる親子が増えていると聞きます。中学校や高校から予備留学する人も多いですね。

そうやって日本から海外に雄飛(ゆうひ)したあなたのお子さんは、そのあと何にぶつかり、どんな荒波にもまれることになるでしょう。そして北米や欧州の大学を卒業したら、その先にはどんな仕事が、未来が待っているでしょう。

これからの時代は、できることならなるべく早く、子供が小さいうちから、日本で育ちながらも、海外でも働けるような準備をすることをおすすめします。日本と海外では、物事の前提や常識が全く違うからです。英語ができるだけでは不十分です。世界標準の哲学や考え方を知り、そこで新しい日本人としてぞんぶんに活躍できる素地を作ることが大事なのです。

まず初めに、子供を国際人に育てるにあたって非常に重要なことのひとつは、子供の自己肯定感を磨くということです。

これは実は、日本人が苦手なことのひとつです。自己肯定感というのは要するに、

「私は素晴らしい」

と言いはることです。

日本というのは非常に特殊なところで、謙遜をしすぎるために、常に自己否定をする人が多く、親も子供を貶（けな）すことで愛情を確認するという、非常に複雑な感情を持った人々なのであります。

ところが、他の国の人々というのは考え方が非常に単純で、

「私が世界で一番」

「私は素晴らしい」

ということを1年中考えています。

地域によって強弱はあるわけですが、基本的にそういう感覚の人が多いということは、ぜひ世界に出る前に知っておくと良いでしょう。

彼らはこんな調子なので、子供であっても普段から態度が堂々としているというか、ふてぶてしいのです。

特にこれが一番凄いのはアメリカ人で、彼らはどんな人でも「自分が世界一素晴らしい」と思い込んでいます。

比較的、日本に近い、謙遜の文化があるイギリスでもこの思い込みは同じで、表面上は控えめな感じでも彼らは自分にものすごい自信があり、常に「上から目線」です。なにせ幼少期から、ちょっとでもおとなしいと、学校の評価に「この生徒は自分に自信がないのでもっと訓練が必要です」というアドバイスが記されるほど、「自己肯定感」が重視されるので、家庭教育でも学校でもまずもって優先順位は、

「いかに俺はすごいと言いはるか」

ということなのです。

人生は戦闘という前提

日本の子供が、日本国内であまり言われないことに、「一旦学校を出たら世の中というのは戦いの場だ」ということがあります。

これは、実際、親は感じることが多いのでしょう。会社は、学校でも仲良しクラブでもなく、表面的に見ればゆるゆるやっていても、水面下では昇進や収益等で激しい競争が繰り返されています。そして毎日のように他人やお客様から評価されるというのが現

実で、まさにそこは戦場であります。

ところが日本だと、そういう厳しい現実を子供にあまり語らず、かなり遅くなってから子供はそれを認識する、ということが多いのではないでしょうか。

私はこの日本のやり方というのは、あまり良いとは思っていません。

なぜなら自分の子供時代がまさにそうだったからです。

世の中というのは、学校のように体系化されていて、お勉強の点数さえ取ればうまくいくと思い込んでいたのですが、実は大きく違いました。日々競争が繰り広げられ、弱肉強食というのがその現実でした。騙してなんぼ、裏をかいてなんぼ、他人はその人に利用価値があるかどうかばかりを気にする。社会に出てみたらそんな人だらけでした。

こういう身も蓋もない現実というのを、小さいうちから少しずつ教えていくというのも、世界に出る・出ない以前に、親にしかできない教育なのではないかなと思うのです。

第2章で述べたように、イギリスの学校では幼稚園の段階から、毎日のように子供の成績や評価というのをポイントシステムで精査するわけですが、これはまさに現実社会に出る準備をする訓練のためです。

謙遜は弱いことの証

日本人が勘違いすることの1つに、海外でも日本的な謙遜が通じるというものがあります。

しかしそれは大きな間違いです。

大半の国では、謙遜は、自分の能力が低いということを自ら言っている、自慢することがないのかというふうにネガティブにとられてしまうのです。

特にイケイケドンドンな傾向が強い北米や、自己アピールをしてなんぼの欧州南部や中近東、アフリカ、南アジア、そして中国といったところは、自分が素晴らしいということを常にアピールしていなければ周りが認めてくれないのです。

要するにはっきりいって日本以外のほぼ全域です。

これは自己アピールをすることに慣れていない日本人にとっては非常に高いハードルです。

日本式に謙遜していれば、本当にあの人は地味で暗くて価値がないというふうに言われてしまいます。

しかし日本で同じことをやると「あいつは目立ちたがり屋だ」と陰口を叩かれてしまいますから、非常に難しいですね。

日本人の良いところを失わず、でも素晴らしい国際人である、という存在になるために、なにもずっと子供のうちから単純に「俺が一番」と思い込めと言っているわけではなく、コツは設定を2倍にすればいいのです。

普段から、海外の人が、自分がどのように素晴らしいかとアピールする姿を横目で見ておいて、海外と日本とで、自分のアピールモードを切り替えるようにしておくことが重要です。

協調性よりもリーダーシップ

日本だと幼少期から重視される能力の1つに、協調性ということがあります。つまりみんなで仲良くしましょう、協力しましょうということです。

これは、自然災害が多く、島国である日本で発達した、日本人という集団の特質であります。土地が限られていますし、さまざまな手間がかかる米作などの農業は、協力して行わなければ食料を入手できませんから、お互いが協調するのが最大の生存戦略なのです。

また、災害が起きた場合もお互いに協力し合って復興作業をしたり、物資を分け合えば、コミュニティの全員が生き延びる可能性が高くなります。

ところが、日本ほど自然災害が多くなく、農業ではなくて交易や狩猟を中心としてきた土地というのは、集団の特質として日本ほど協調する必要がありません。

なぜなら、狩猟においては獲物を獲得することが最大の目的であって、戦いは短期間で済みますし、獲物さえ入手すれば良いので究極の個人主義です。獲物はその辺にいますので、複数の人と協力し合って作物を育てるというような、協調性の必要がありません。

また、交易が中心の社会では、相手からいかに安く物資を手に入れて高く売りさばくかが重要で、それができれば、交渉をやった人の富が増え、生存確率が高くなります。

そういった取引には、協調性でかかるコストはむしろ無駄になります。

騙してなんぼ、出し抜いてなんぼな世界です。

日本の外では、協調することへの動機が低くなるわけなんです。

ところが、幼少期から日本で育ってきた人というのは、他の国の人も日本人と同じように協調するはずだと思い込んでいますから、はなから協力し合うことを前提に、プロジェクトを組んで仕事を進めます。

ところが彼ら、日本以外の人々の最大の目的というのは、「自己の利益の最大化」でありますから、協調するインセンティブがないわけです。

なのに日本人は、海外の人々を動かすためにターゲット設定をしたり、特別なボーナスを出すといった仕組みを作り上げる必要性を理解せず、日本式の阿吽の呼吸で、自動的に人が動き、協力し合うと思い込んでしまうのです。

あなたの子供は、海外の人は日本人のようには協力し合わないということを、早いうちから知っておく必要があります。

そして、こういった社会で求められるのは、うまく調整をしたり協調をする人ではなく、強いリーダーシップを発揮する人です。

つまり、どんなに性格が最低だったり、ものの言い方が悪くても、他人を従わせて物事を達成できる、強い性格を持った人が「有能な人」です。

よく、海外にいる日本人は、日本にいる日本人に比べて性格がきついとか言われることがありますが、これはそういった人が現地では評価されるためです。生存戦略として、強い性格を持たなければならないのです。

その一方で、性格が強いだけではダメで、人を従わせるには能力を見せつけることが重要なので、強靭な肉体や高い知性も必要になりますし、何より他人から一目置かれる「カリスマ性」がなければなりませんね。言い方がアレですが、つまり、あえて猿山のボスにならなければならないのです。

他人を言いくるめる子供が褒められる

さらに言えば、このように狩猟をやったり、交易をしたりする社会では、他人を言いくるめる人が富を独占でき、高い評価を得るわけです。

つまり、他人を説得して管理のために集団を動かしたり、うまく交渉を進める能力がものを言うということです。

狩りのグループにはさまざまな人がいますし、交易で折衝する相手には、言葉が通じない人や全く文化が異なる集団もいるわけですから、そういった難しい人々ともうまく交渉できて、最大限の利益を持ち帰ってきてくれる人というのは、ヒーローになるわけです。

これに必要なのは、普段から他人を説得する、言い方やロジックを訓練することです。日本の教育ではそういったことは教えませんから、日本人はこの分野の能力が極端に低いのです。

世の中の仕組みを早いうちに学べ

これから、日本の子供に必要なことのひとつは、世の中の仕組みというものをなるべく早く知るということです。

例えば世の中では、どんな人が最も多くの富を生み出しているかということがその一例です。誰かに雇われるだけの会社員や公務員というのは、得られるお金が給料やボーナスだけですから、豊かになれる手段が限られています。

ところが経営者や自営業者の場合は、自分で仕事を創り出して、お金を借りて事業を大きくしてさらに儲ける方法がありますから、より豊かになることが可能です。

会社員の場合、雇う方に評価されるのは忠誠心ではなく、どれだけお金を儲けてくれるか、ということです。

このような単純な仕組みを知らないがために、過労死するまで働いてしまったり、人材派遣業者に中抜きされている仕組みを理解できない人があまりにも多いのです。

さらに、子供にも、早いうちから談合の仕組みや汚職の構造などを教えておくのも非常に重要でしょう。えっ？　そんなことを？　と思うかもしれませんが、世の中にはさまざまなしがらみや手段でお金を独占する人々や権力を握る人がいて、そういった仕組みがある以上、どんなに努力をしても状況を打開できないこともあるということを、知って動ける人間になるのです。

わが家では、みにろま君には、大学に勤める家人が大学の裏の話、恐ろしい話をあけすけに聞かせています。幼稚園の頃から聞かされて、大学に行く頃にはもう大学自体が嫌くらいの耳年増になっているかもしれないと思うほどです。でも、そうやって親の知っていることで、本当のことを知って自分の進む道を選んでほしいと思いますし、それは親しかできない、大切な教育のひとつだと思うのです。

世の中は差別や暴力で溢れていて、そういうことが存在することは事実であるということを、はっきりと伝えることも重要だと思います。

学校では、どうしても教えやすい綺麗なことを、子供に伝えがちです。が、現実の社会というのは理不尽なことだらけで、灰色なことも多いのです。それをなるべく早いうちに知っておけば、海外に行っても、学業を終えて突然社会に出た時にも、驚くことが減りますね。そして、悪い人に騙されることだって減るに違いありません。

インドや中東など、暮らしていくのが大変厳しい地域では、子供が小さいうちから家の手伝いをさせたり、ちょっとした小取引をやらせて、世の中の理不尽さを嫌というほど見せつけることがあります。これも厳しい世の中を生き延びていくための世界標準の知恵と言えるでしょう。

常に費用対効果を意識せよ

日本人が弱いことの一つに、得られる利益や効果を考えずに無駄な努力をせっせとしてしまう、というものがあります。

日本人は、自分が取り組む勉強や仕事を、精神的な修行と考えてしまって一生懸命やるのでありますが、人間の時間や体力には限界がありますから、何でもがむしゃらにやれば良いというわけではありません。

さらに、お金だって有限なわけですから、何でもお金を使えばいいというわけでもないでしょう。日本の学校では、子供に、結構無理なことをやらせますので、どれだけの費用や時間、努力を投入して、どのぐらいのものが得られるかという、費用対効果の感覚を身に付ける訓練がありません。

これは結構深刻な問題で、日本の会社や役所で、限界を超えた無理をやってしまったり、十分な予算や道具を準備してから仕事にとりかからないということがあるのには、こういった日本人的な精神が根本にあるからです。私は、これは子供時代から無駄なことはやってはいけないという、費用対効果の感覚を磨かないことが、その原因の一つではないかと考えています。

欧州やアメリカは、この辺がかなり徹底していて、日本人の感覚からすると、実に怠け者な人が多いのでありますが、彼らは費用対効果の考え方が徹底していて、利益が得られることを中心に考えますし、効果がないなと思ったことからは、スパッと手を引いてしまいます。世界もお金も人生の時間も有限なのですから、それは非常に合理的な考えだと思いませんか。

出羽守は海外の都合の良いことしか語っていない

日本のマスコミには、海外の美しい部分を取り上げた情報が溢れていますが、子供に、そういったものだけに触れさせるのは大変危険です。

なぜなら、そういった情報の多くは非常に表層的で、海外の影の部分や事実というのを包み隠しているものが非常に多いからです。

子供の頃の刷り込みというのは、実は、案外影響が大きく、大人になってもその頃のイメージを引きずることが少なくありません。

海外は素晴らしい、海外はこんなに進んでいるという嘘で塗り固められたイメージを持ってしまうと、大人になって、海外の人と仕事をする時や投資をする時に大きな失敗をすることが結構あるのです。実際に現地に行かなければわからないことも多いわけですが、早くからインターネットなどを通して、海外のさまざまな多面的情報に触れておけば、そういった間違いを犯すことは減るでしょう。

世界は驚くべき部族社会

日本人が案外知らないことに、海外は、先進国であっても、案外、部族社会であるということがあります。

部族社会というと語弊があるかもしれませんが、要するに思った以上にコネ重視の社会で、お金や良いことを仲間内でぐるぐる回しているということです。

これが最も酷いのが実はアメリカで、アメリカというのはコネがあれば割といろいろなことがうまくいく社会です。例えば就職に関してですが、アメリカは、日本と違って、新卒一括採用が非常に少ないために、若い人であっても就職は、誰を知っているかということが非常に重要です。

アメリカは、従業員にすぐに訴えられてしまう訴訟社会ですし、さまざまな人がいる社会ですので、やたらな人を雇うのが非常に怖いのです。ですから知り合いに誰かを連れてきてもらったり、従業員が既に知っている人を採用するのです。

つまり、日本の感覚でいったら完全なコネ採用です。こういったコネは、企業で何か取引をする時とか、大学の入学の時にも意外と重要なのです。

コネが重要ですから、アメリカに限らず欧州でも、人々はいろいろな人と知り合うために、業界団体に入ったり、パーティーに顔を出したりと、ネットワーク作りに大変熱心です。

欧州の場合、イギリスはもうちょっとドライではありますが、大陸側に行きますと、もっとコネ社会で、イタリアの場合などは業者に来てもらったり、交通違反の処理でさえもコネが重要になってきます。

これは意外と日本人が知らないことで、こういった人脈作りがうまくないがために、地域の社会でうまくいかないという日本人が結構いるのです。

日本の学歴は無駄だと早いうちに知れ

日本の子供になるべく早いうちに知っておいてほしいのは、海外に行くと、日本の学歴はほとんど意味がないということです。

先進国であっても、日本の大学名や偏差値を知っている人々というのは非常に限られておりますし、彼らは学歴というよりも、何ができるかということを見るので、日本のように何々大学を出ましたと言っても全く通用しないことが多いのです。

日本人は、海外に住んで実際に現地の組織で働いてみて、お金を稼ぐようになってから、この現実に打ちのめされるようになります。駐在員や企業から派遣された研究員であれば、まだまだ、どこの大学を出ましたということで、日本人の間では威張りまくることが可能ですが、外国人相手にはそうはいきません。そもそも日本の大学の名前なんて誰も知らないのです。

ではどこか他の国の大学卒業であればなんとか通用するかというと、やはりそれは北米の大学やイギリス、そして欧州の大学などになります。ただ、大人になると、そこはやはりお金や実績が重視されますから、どこの大学を出ましたと言っても、じゃああんたはいくら稼いでいるんですかと言われて終わりです。数字で評価する、実に身もふたもない社会です。

ですから日本では、子供に一生懸命中学受験をさせたり、大学受験を頑張らせる親御さんがいますが、日本社会の中で大変だ大変だと言いながらそれをやっていても、いったん海外に出れば、それは全然意味がなくて、どうでもいいことになってしまうことは、覚悟しておいた方が良いでしょう。

世界は古いジェンダー観で回っている

もうひとつ、日本人が案外知らないことに、海外は先進国であってもそのジェンダー観というのは意外と古いということがあります。

例えばこれは非常に驚くことなのでありますが、あのアメリカであっても、実際に生活してみると女は女らしく男は男らしくという価値観が非常に強いのです。また、ちょっと田舎の方や労働者階級系の世界に行きますと、その男女観というのは日本の昭和40年代ぐらいの感じで、父ちゃんは外で働いて、母ちゃんは家で子供の面倒を見るといった感じの感覚です。

これはイギリスも似たようなもので、案外その感覚は日本よりも古かったりするところがあります。これがイタリアやギリシャに行くともっと保守的なのです。

さらに世界の大半というのは、実は先進国ではなく、発展途上国なわけですから、そういった国の男女観というのは、日本より数十年以上遅れていることが多いのです。こういった感覚が一般的だということを知っているかいないかでは、他の国の人と付き合ったり、仕事をしたりする際に大きな差が出てきます。

世界の歴史観を学べ

日本の子供が早いうちに知っておくべきことに、歴史というのは地域によってその捉え方が全く違うということがあります。日本で習う歴史というのは、まず日本が中心になっていて、東アジアや欧州、アメリカのことを学ぶわけですが、なんと他の地域ですと、東アジアの歴史を一切学ばないというところも結構あります。

その一方で、日本人は東欧やロシアの歴史、アフリカや南米の歴史を学ばず、彼らの歴史観や世界観というのも学ぶ機会がないわけでありますから、世界の見方というのが、その地域の人々とはずいぶん違って見えるわけです。そういった違いがあるということを、早いうちにメタ認知しておくことも非常に重要です。

プロを雇う方法を学べ

日本人は少なからず、何でも自分でやってしまうという感覚が強いですが、他の国だと自分のできないことは他人にお金を払って任せてしまおうという考え方の人も少なくありません。

特に、費用対効果や人件費のことをこと細かく考えている北米や欧州だと、自分が不得意なことや専門性がないことは人に任せてしまうということが結構あります。その方が効率が良いですし、間違いがないからです。

これは意外と重要なことで、こういう考え方があるので、会社の中でも分業制が進んでいるのだと思います。日本でも、子供が小さいうちから人に任せるということを、感覚として身に付けておくことも、海外で自由に活躍できる人になるには重要かと思います。

人心掌握術を田中角栄から学べ

日本の人が知らないことですが、海外の人のマネジメント術というのは、実は案外古臭くて、日本の昭和的な部分がたくさんあります。

やはり、国は違えど人間対人間の付き合いというのは、どこでも根本はあまり変わらないということだからだと思いますが、日本では非常に希薄になってきた、昭和的な人心掌握術というのが、他の国では非常に重要だったりします。

私が是非学んで頂きたいな、と思っているのは、昭和の大政治家で元総理大臣である田中角栄さんの人心掌握術であります。

彼は中卒で、建設業から身を起こして総理大臣にまでなったという努力の人でありますが、人の心を摑むのが大変うまかったことで知られています。

角栄さんの非常に得意だったことは、その素晴らしい記憶力を使って、自分の周囲にいる人、スタッフやアシスタントレベルの人の好みや家族のこともこと細かに覚えておいて、その人の好みに合った贈り物をこまめにしたり、家族の病気のことを聞いたり、頻繁に声をかけたりしたということです。

角栄さんが議員になった際には、エリートだらけの官僚たちは彼を大変警戒していましたが、そういった細かい気遣いや、自分は中卒で何もわからないからいろいろ教えてくださいという、非常に腰の低い態度に驚き、すぐに彼のファンになってしまったそうです。

このようなきめ細かい気遣いや、立場が弱い人にほど丁重に接すること、そして頭を下げて教えを請うという態度は、日本だけではなく海外でも十分通用するものです。

文化人類学、人文地理学、古典を学べ

日本の子供に、海外に出る前から是非学んでほしいことに、文化人類学、人文地理学、そして各地の古典があります。

これらはいわゆる人文系の学問であり、知識であり、最近ではこんなものは必要がないと言う有識者の方々もいるのでありますが、年を取れば取るほど、特に外国の人と交流する際に重要であるなあと感じています。

なぜかと考えますと、こういった学問は過去の人々の知識や研究を集積したものであり、まさに人間を知るためのノウハウだからです。特に古典には、古今東西の数百年から数千年にわたる知識が集積されています。それを知ると知らないのとでは、人間の根源的なものへの理解が変わってきます。一見無駄なように見えるものでも長い時を経ればば経るほど、その価値というものが輝いてきます。

真の国際人は日本文化と歴史に精通

これからの学問の他に、非常に重要なのが、海外の人と接するにあたっては、日本のことをよく知らなければならないということがあります。

なぜなら、異なる文化や言語の人々と接すれば接するほど、自分は一体何者なのか、そして自分を作り上げた文化や先祖の蓄積というのは一体何なのかという疑問が湧いてきますし、海外の人から質問されることも多いのです。

自分が取っている行動や考え方には、日本という土地の独自の文化の影響はないだろうかとか、なぜ他の土地の人々は日本の人々とこんなに考え方や行動が違うのか、といったことを相対化するのにも、非常に重要です。

真の国際人というのは、単に外国のものを真に受けて取り入れるのではなく、自分というものを作り上げた土地の歴史や文化をしっかりと理解をして身に付けている人のことを言います。自分を誇ることができなければ、他人を尊重することもできないからです。

実は重要な情操教育

このような文化系の学問や日本を知るといったことの他に、とても重要なことのひとつに、感性を磨くということがあります。

自然や人間を見て、何かを感じる感覚を高めるということです。

これは意外と人生において最も重要なことのひとつで、風景や自然のダイナミックな様子、道端の虫や、自分の顔にフッと吹いてくる風の感覚で、自分の感情を揺り動かすようなことにつなげることができるかどうかというのは、文章で何かを表現したり、何か他人の感情も動かすことができるデザインを考えついたり、ビジネスを思いつくといったことにつながってくるのです。

ビジネスや政策立案というのは、実は芸術的な感性とのつながりが小さくありません。

人間社会の物事の多くは、人の感情で成り立っています。感情を揺さぶることができるビジネスや政策、創作物、文章というのは、人間を動かすことができるのです。それは単に美しい音楽や面白い漫画だけではなく、人が買いたくなるものを作るとか、感動するような車を開発するとか、思わず手にとってみたくなるスマートフォンを作るといったようなことです。

例えばAppleコンピューターの製品が美しくなかったら、買いたいと思う人は今ほど多くはなかったでしょう。これが、感性がビジネスを作り上げるという例のひとつです。スティーブ・ジョブズが日本の版画に興味がなかったら、Appleの天才デザイナー、ジョナサン・アイブを採用することはなかったかもしれません。リーダーになる人の言葉や優秀なマーケターの表現というのも、人間の心を動かして世の中を変えます。これも豊かな感性があるからこそ可能なわけです。

こういった感性を磨くのに重要なのが、情操教育です。

つまり、今、日本の子供がいろいろな習い事でやっているように、さまざまな体験をして心で感じることです。音楽を聴いたり、自分で演奏してみたりすること、絵画や漫画、アニメを見ること、文学に触れて、登場人物の心を想像してみる、踊って何かを表現してみる、お笑いを見て大笑いする、キャンプ場で星を眺める、家具に色を塗ってみる、石ころを拾い集めてみる、劇を鑑賞する、詩を朗読する、そういった一見無駄なようなことが感性の訓練に非常に重要な役割を果たしていると思います。

ですから、非常に面白いのが、北米や欧州のエリート校というのは、こういった情操教育に大変な力を入れているということです。

例えばイギリスの場合は、優秀な学校ほど、詩の朗読や制作、演劇、音楽、絵画、野外活動に力を入れています。こういったことは感性の訓練に非常に重要で、物事を感じることで人間を理解する能力が高まるからです。海外のエリート層はそういった感性を磨く訓練を受けているからこそ、リーダーになって人を動かすことができるのです。これはペーパーテストをガリガリやっているだけでは絶対に身に付かない能力です。

他人とは理解し合えないのが前提

ひとつ、日本人が誤解しやすいことに、自分と他人は同じように考えるだろう、ということがあります。これは大きな間違いで、多様な人々がいる土地ほど、他者と自分は絶対に理解し合えないということを前提に、物事を設計したり他人と接したりします。

よく、北米や欧州の教育レベルが高い人々は、マナーが良いということが言われますね。ですが、これは単に、他人と自分とは考え方も行動様式も違うから、なるべく丁寧に接して問題が起こらないようにしようという考え方があるからに過ぎません。倫理的な理由で丁寧にしているわけではないのです。

また日本人は他人と自分が同じだと考えすぎるので、他人が自分の希望に沿わない行動をとると大きく失望します。が、最初から違うと思っておけば何もショックに感じたりはしません。

お金の現実を身に付けよ

日本の親がちゃんと子供に教えないことに、お金の話があります。なぜか日本人はお金の話をあまり好まず、概念的なことや理想論ばかり語りがちです。しかし世の中がこれだけ激変しているわけですから、生き延びるのにやはり重要なのはお金です。

子供がなるべく小さなうちから、利息とは何か、複利とは何か、投機と投資の違い、原資とは何か、家を買ったら修理費や維持費に大変な費用がかかることや、投資材と消費財の違いといった、お金のごく基本的なことを、毎日のように繰り返して教えるべきでしょう。

単にお小遣いのやりくりを教えるだけではダメで、どうやったらお金が増えるのか、労働をしなくてもお金が入ってくる仕組みとは何かといったような、もうちょっと高度なことを教えるべきです。

柔軟な職業観を持て

これまでの日本の親たちによくありがちなのは、子供も自分のように勉強させて、サラリーマンや専門職にさせようとする傾向です。

ですが今の世の中において、そのような職業観は正しいのでしょうか。

今は日本だけではなく、北米でも欧州でも終身雇用という仕組みはどんどん消えており、日本の30年先を行くイギリスでは、その制度は1980年代に消滅した状態になっています。すべての働く人がフリーター状態で、正社員であってもいつクビになるかわからないのです。

大企業であっても部署ごと解雇とか、会社が買収されて縮小されるなどということが非常に頻繁です。イギリスの場合はそれがさらに強烈で、軍人や公務員でさえも解雇されてしまうというような強烈なリストラをやるのは当たり前になっています。

そのような状況の中で、子供をせっせと勉強させて塾に通わせ、高い金をかけてサラリーマンにしても、結局は、会社の中で昇進できなかったり、最悪の場合はリストラに遭ってしまって、30代後半とか40代で無職になってしまうわけですから、有名な会社に入ってサラリーマンになっても人生安泰というわけではありません。

外で独立して食べていけるようなスキルやノウハウがないわけですから、会社をやめた途端に、ただの無職の稼げない人です。

そんな人にするために、幼少期から大学までの20年近い時間を、もっぱらサラリーマンや役人にするための訓練に費やして良いのかということです。

コロナ後の世界というのは、世の中が一変しています。

従来のように、たくさんお金を稼いで高価なものを手にするよりも、一番重要なことは、「健康」になりました。

人類は感染症に対して恐ろしく脆弱なことを、多くの人が認識したはずです。

どんなに有名な会社に勤めていても、ある日突然、感染症に罹患してしまうかもしれない。人生の先が見えないのです。

想定外のことが起こる確率がさらに高くなったわけです。

そのような不安定な世の中では、自分の好むことや環境に応じて職業を変えていくことだって重要です。つまり従来よりも柔軟な職業観が必要になっているということです。

日本ではこのコロナ禍で自殺する人の増加が報道されていますが、驚くべきことに、日本よりもはるかにコロナの死者も感染者数もひどいイギリスや大陸欧州では、日本のように自殺する人があまりいないのです。失業率だってはるかにひどく、事業に行き詰まる人も多いのにもかかわらずです。

これはなぜかというと、彼らは、仕事を失ってもまた別のことをやればいいやと、非常に柔軟に考えているからです。ある意味、いい加減ということです。今は状況が悪いから自分の努力が及ばないわけで、仕方がないと諦めているわけです。

日本人は非常に生真面目なので、こういう柔軟性のある考え方がとても不得意です。欧州や北米の人が転職する際の様子を見ていますとよくわかりますが、彼らはあまり肩書とかにはこだわらず、自分の好きなことを優先してしまうのです。

例えば、家人の友人に、大学の研究者をやりつつ、自宅の庭に録音スタジオを建ててしまい、ブラスバンドのレコーディングビジネスをやっている人がいます。彼はレコーディングの技術とかを聞くことが好きなので、趣味の延長でやっているのでありますが、ビジネスにもなっているわけです。日本だったら大学の先生がそんなことをやるなんて、と、何か言われそうですが当人は全く気にしていません。

別の私の友人は、もともと土木作業に従事していて中卒ですが、不動産の開発業者になり、ビジネスが大変成功してから、50代になって高校の卒業資格を取って大学の学部に入り、そのまま大学院に進んで、博士号を取って大学の教授をやっています。

周りの人も大学の同僚たちも、おかしいとか職業の選択が変わっているということは言わないようです。本人がやりたいことだからです。彼は、自分の実務での経験を、大学の研究室でフィードバックしたり、学生に伝えたりしているので、とても感謝されています。多様な経験のある人というのが感謝される社会なのです。そして、ユニークな人は良いと思われます。

日本だったらこういう人は、職場で異端扱いされたり、大学院だって入れてもらえないかもしれません。また、きっとネットの掲示板では叩かれますよね。

別の知人は、アメリカで歴史学の研究者をやっていたのですが、ある時突然大学を辞めて家具職人になってしまいます。

彼はもともと、手に職系の仕事が大好きで、趣味を仕事にして本業にしてしまったのですが、この人に関しても周りの人が何か言うわけではありません。むしろアメリカ人は、彼が自分の好きで得意なことをやっていることは素晴らしい、と、絶賛です。

私の知人の中には、もともとアメリカの海兵隊の兵士ですが、民間企業に転職してITのマネージャーをやりつつ、映画の撮影会社を経営している人もいます。彼はダイバーなのでダイビングのインストラクターもやっているのです。この人に対しても、さまざまなことをやっていて非常にユニークでいいですね、と言う人が多いのです。彼が採用された時も、サイドビジネスや趣味の話をしたら、ナイスな人だというふうに判断され、入社しています。

また私の別の知り合いの方ですが、この方はスカイダイビングの腕がインストラクターレベルで、世界大会に出ています。本業はプロジェクトマネージャーですが、10社以上の会社を渡り歩いていてさまざまな経験があります。この人に関しても、職場の人々は変わっているとかいうことは一切言わず、本人がすごく楽しそうでいいですね、スカイダイビングの話をしてください、などと言っているのです。

日本だと村八分になってしまったり、悪口を言われそうな人が、北米や欧州の北部だと、反対に面白い人だと捉えられるのが世界のあり方です。そこで働いている人たちも、自分のキャリアというのを非常に柔軟に捉えていて、自分のやりたいことや時勢に合わせて自分の仕事をどんどん変えていきます。また、お金を稼ぐとか肩書を重要視するのではなく、何をやったら楽しいかということを考えて人生を歩んでいるわけです。

こういった人々の態度というのは、日本のあまり柔軟性がない考え方の親世代や、それを子供に押し付けている人々には、大きな示唆があるのではないでしょうか。

・みにろま君、ウルトラマンフェスティバルに呆れる

みにろま君は2歳から4歳までウルトラマンにはまっていました。毎日のように「ウルトラマンジード」や「ウルトラセブン」を見ていたのであります。

ウルトラセブンに関しては、なんと各エピソードのストーリーも大まかに覚えてしまい、「これはもう前に見たから次のを見せろ」と怒っていたりしました。

さらにモロボシ・ダンがやっている店に行ってみたいとまで言っているのです。(演じていた俳優の森次晃嗣さんが、神奈川県藤沢市鵠沼海岸で経営するカフェレストラン「JOLI CHAPEAU」のこと)

そういうわけで、ウルトラマンが大好きな彼を、日本に行った時に、池袋で開催されていた「ウルトラマンフェスティバル」に連れて行きました。

ところが会場に入った途端、彼はなんとなく浮かない顔をしているのです。

「マミー、これすごくつまらないんだけど……ボーリングだよ。だってね、ウルトラマンの中にヒューマンが入っている。ヒューマンインサイド！　フェイク‼」

「マミー、ここにはなんでアダルトがたくさんいて、フェイクなのに大喜びしているの？」

会場には子供はほとんどおらず、なんとそのお客の大半が、「大きなお友達」だったのです。

巨大なカメラを抱えた大きなお友達が、ウルトラマンのグッズやフィギュアの写真を撮影しまくり、アニメ声のお姉さんに連れられたウルトラセブンと大喜びで握手をしています。ショーでは大興奮で声援を送っています。

それをぼう然と見ているみにろま君や他の子供。

「マミー、アダルトなのになんでフェイクとわからないの？？？」

欧州では子供向けのイベントで、大きなお友達が大喜びで楽しんでいるという風景は非常に珍しいので、とても驚いたようなのです。

さらに明らかにフェイクなのに、なぜ大人が大喜びで握手しているのか。なぜチルドレンではなくアダルトが来ているのか。

確かにそう言われれば、不思議ではありますね。

終わりに――みにろま君にひとこと

何も考えていなかった怠惰なヲタクの俺のところに、何かの偶然で君はやってきた。相変わらず部屋はゴミだらけで、朝も起きれないのにさ。(なんで俺って言ってるかっていうと、うちの婆さんの田舎では女でも俺って言うんだ。だから俺も家では、自称、俺だよな)

君が来たのって、あの大地震のちょっと後で、人は割とあっけなく死んでしまって、さらにその後新型コロナウイルスというわけのわからない病原体で世界が壊滅するんじゃないか、という大事件も起きたわけだ。

世界は予想しなかったことだらけで、人間の思い描いたようにはいかないわけですよ。コンサル屋が言うような「ロジック」では世の中は動いてなかった。あんなものはみんな嘘だった。あいつら嘘っぱちをふりまいて金稼いでるんだよ。エセ占い師以下だよな。AIだって予測できなかった。あんなもん結局人間が適当に考えた算数の式なんだよ。

人間はやっぱり無力なんだな。結局、地震すら予測できなかったんだから。

なんだったんだ、あのコロナの前までの新聞の全能感に溢れた記事は。ドローンで新世紀が来る、気候変動を太陽光で解決する。全然できてないじゃんかな。新聞記者もインチキだらけだろ。

手洗いすらできないカスが世界には大量にいて、ミジンコみたいにボコボコ死んだ。君も見たよな。バスで他の乗客殴りつけようとしてる奴ら。俺たち走って逃げたよな。

コロナは世界中のバカを洗い出したわけだ。

マスクをつけろと他人に注意した真面目な人間は殴りつけられて死んだ。

世界は実に理不尽だな。世の中の大半はバカだらけで自己中な奴らだらけなんだよ。でもこれが無常観という奴なんだな。俺はやっとわかったよ。昔の人が言っていたことが。

そういう不条理だらけの世の中で、我々は自然の流れの中のごくごく小さなチリにすぎず、地球様のご機嫌を伺いながら、ふわふわと、ごく一瞬に過ぎない瞬間である人生を、ああだ、こうだと悩み、周りと喧嘩し、金が足りないと文句を言い、過ごしてるんだけど、はっと気がついた時には数十年経っていて、人生の終わりはすぐそこなんだよ。

まだまだこれから楽しみたいと思っていてもな。

そして気がつくと足腰が痛くてさ、遠くに行く体力もなく、楽しみを一緒に語り合う人は側にいないわけ。周りにドリフが好きな奴がいないいんだよ。先に死んじゃってたりするから。ボケちゃってたり金がなくなって行方不明になってたりもする。

そういうのに気がつくのは、どうだろう、あと何十年後かな。俺は40年以上かかってしまった。頭が悪いからな。もっと早く気がつけ、だよな。

君のお爺さん達は、最近、人間から単なる炭素の固まりになってしまって、墓を買う金がないからゴミ箱の横に放置してあったりするんだが、人間の時は周りと喧嘩したり、姉ちゃんの尻を追い回したり、金の心配ばかりしていて、気がついたら泡のようにプチッと消えてしまった。ほんとにね。あっけなかった。仲良かったホステスも知らねえんだな。消えちゃったのをよ。あんなに金を貢いでやったのにな。薄情なもんだな。どうせそういう風に消えちゃうからさ、君にはなるべく愉快でいい加減で気楽にやってほしいと思うわけなんだよ。「はい、それまでよ」だよ。あの世には金もものも持っていけないいんだからね。

でも愉快に過ごすにはちょっとした知識が必要なんでね。あと周りには面白い奴がいた方がいい。周りにも愉快にやってもらうためには、君が得た知識をちょっと分けてやって欲しいと思うわけだよ。

外国は嘘つきな奴だらけとか、掃除なんかしねえとかさ。せっかく日本と他の国のことを両方知ってるわけだから。

知らないと金が稼げねえんだよ。騙されんからさ。日本人はお人好しばっかだろ。だから君は助けなきゃダメなんだよ。そのお人好しの人達をさ。

ドリフ見る人が増えた方がいいだろ。金があればドリフ見る暇ができるからね。

２０２１年４月

マミーより

谷本真由美

@May_Roma

1975年神奈川県生れ。著述家、元国連専門機関職員。英国在住の日本人有名ツイッタラーめいろま（@May_Roma）として、かねて時事や文化、ビジネスに関し、数々の舌鋒鋭いツイートを展開している。数年前に息子のみにろま君（愛称）が生まれ、子育て事情の情報発信も増えた。日本、英、米、伊など世界各国での就労経験がある。米国シラキュース大学大学院にて国際関係論および情報管理学修士を取得、ITベンチャー、コンサルティングファーム、国連専門機関、外資系金融会社を経て、現在はロンドンに住む。近著に『世界のニュースを日本人は何も知らない』『世界のニュースを日本人は何も知らない2 未曽有の危機の大狂乱』『日本人が知らない世界標準の働き方』など。

みにろま君(くん)とサバイバル

世界(せかい)の子(こ)どもと
教育(きょういく)の実態(じったい)を
日本人(にほんじん)は何(なに)も知(し)らない

2021年7月21日　第一刷発行

著者　谷本真由美(たにもとまゆみ)

発行者　樋口尚也

発行所　株式会社 集英社
〒101-8050 東京都千代田区一ツ橋2-5-10
電話　編集部03-3230-6141
読者係03-3230-6080
販売部03-3230-6393（書店専用）

印刷所　大日本印刷株式会社

製本所　ナショナル製本協同組合

ISBN978-4-08-781705-8 C0095